Le Millionnaire

Du même auteur

Le Livre de ma femme, roman,
Montréal, Éditions Québec/Amérique, 1997.

Le Golfeur et le Millionnaire, roman,
Montréal, Éditions Québec/Amérique, 1996.

Le Psychiatre, roman,
Montréal, Éditions Québec/Amérique, 1995.

Note de l'éditeur : le lecteur pourra trouver la suite
du *Millionnaire* dans l'ouvrage
La Vie nouvelle.

Le Millionnaire

*Un conte sur les principes
spirituels de la richesse*

MARC FISHER

ÉDITIONS QUÉBEC AMÉRIQUE

329, rue de la Commune O., 3e étage, Montréal (Québec) H2Y 2E1 (514) 499-3000

Données de catalogage avant publication (Canada)

Fisher, Marc, 1953 -
Le Millionnaire : un conte sur les principes spirituels de la richesse

ISBN 2-89037-926-4

I. Titre.

PS8581.024M54 1997   C843'.54   C97-941297-8
PS9581.024M54 1997
PQ3919.2.P64M54 1997

*Les Éditions Québec Amérique bénéficient du programme de
subvention globale du Conseil des Arts du Canada.*

LE CONSEIL DES ARTS | THE CANADA COUNCIL
DU CANADA | FOR THE ARTS
DEPUIS 1957 | SINCE 1957

Dépôt légal : 4e trimestre 1997
Bibliothèque nationale du Québec
Bibliothèque nationale du Canada

1ère réimpression : décembre 1997
2ième réimpression : juin 1998

Mise en pages : PageXpress

À Charles-Albert Poissant, éternel optimiste,
avec ma profonde reconnaissance filiale.

M.F.

Table des matières

1. Où le jeune homme consulte un oncle riche 11

2. Où le jeune homme rencontre un vieux jardinier 21

3. Où le jeune homme découvre l'amour
    véritable du travail 35

4. Où le jeune homme découvre le portrait secret 47

5. Où le jeune homme fait un pari audacieux 55

6. Où le jeune homme apprend à jouer
    avec les chiffres 59

7. Où le jeune homme découvre la puissance des mots 71

8. Où le jeune homme comprend le sens de la foi 83

9. Où le jeune homme découvre la Règle d'or 91

10. Où le jeune homme découvre un secret très ancien 101

11. Où le jeune homme et le millionnaire se séparent 113

1

Où le jeune homme consulte un oncle riche

Il était une fois un jeune homme qui voulait devenir riche.

Parce qu'il était né pauvre.

Et que, toute sa vie, il en avait souffert.

Comme d'une véritable infirmité.

Il aurait certes pu penser, comme bien des gens, que l'argent ne fait pas le bonheur.

Mais il ne faut pas avoir connu l'humiliation de la pauvreté pour penser ainsi.

Il faut être riche.

Ou résigné.

Et il n'était ni l'un ni l'autre.

Forcé très jeune d'abandonner des études que son père trouvait ruineuses et inutiles, il n'avait pas eu la chance de démarrer dans la vie avec ce petit bout de papier à la fois surestimé et décrié qui pourtant ouvre bien des portes : un diplôme. Il avait exercé divers petits métiers – plongeur, commis, vendeur – avant d'aboutir dans une agence de publicité.

Il y occupait un poste obscur d'assistant, c'est-à-dire qu'il s'acquittait tous les jours de toutes les petites tâches ingrates que son patron ne s'abaissait pas à faire, en plus de lui suggérer des idées, souvent brillantes, pour lesquelles il n'obtenait aucun crédit, aucune augmentation.

Il se considérait donc comme sous-estimé et mal payé, et il était malheureux quarante heures par semaine, un sort dont la banalité ne le consolait pas.

Si au moins il avait pu obtenir une promotion. Mais, d'entrée de jeu, son supérieur hiérarchique l'avait catalogué, trop heureux d'avoir sous sa coupe un tâcheron indispensable à sa confortable paresse : bon second, il ne serait jamais chef !

Pourtant, malgré ses dettes, malgré la médiocrité de sa situation, la modestie de son appartement, le jeune homme persistait à croire que seule la malchance l'avait détourné de sa véritable place dans la vie. Il avait, il en était certain, une bonne étoile. Un jour elle brillerait pour lui, et son existence s'en trouverait transformée.

Quand ?

Il n'aurait pu le dire.

Mais il commençait à trouver le temps long.

Et à chaque nouvelle semaine qui passait, il entrait de plus en plus à contrecœur au bureau, et son espoir de jours meilleurs rétrécissait comme une peau de chagrin.

Il avait rédigé une lettre de démission qu'il gardait toujours dans sa poche, mais qu'il n'osait remettre à son patron. Tout abandonner est bien beau : encore faut-il savoir vers quoi l'on part !

Or il l'ignorait.

Il savait seulement qu'il en avait assez.

Et il se sentait mourir à petit feu.

D'ennui.

De frustration.

Un jour où il était particulièrement découragé, l'idée lui vint d'aller trouver un vieil oncle riche qu'il ne voyait qu'une fois par année, à Noël !

Peut-être lui donnerait-il un conseil.

Ou de l'argent.

Ou les deux à la fois.

Mais son oncle préféra lui donner une leçon plutôt que de l'argent.

Il était philosophe.

Ou avare.

Ou les deux à la fois.

« Ce serait te rendre un mauvais service », expliqua-t-il philosophiquement au jeune homme aux paumes moites.

Ce dernier n'était pas ennemi de la philosophie, mais il trouvait qu'un petit prêt lui aurait rendu grand service. Il découvrait la valeur de l'argent : il suffit de tenter d'en emprunter !

Confortablement calé dans un immense fauteuil, derrière son imposant bureau de bois sombre, l'oncle au teint couperosé par des excès de cognac grillait un havane avec la tranquille assurance d'un homme assis sur une importante fortune.

« Quel âge as-tu, maintenant ? lui demanda-t-il après avoir exhalé quelques habiles volutes de fumée.

— Vingt-six ans, fit le jeune homme en rougissant : il sentait un reproche derrière la question.

— Savais-tu qu'à ton âge Aristote Onassis, qui s'était lancé en affaires avec trois cent cinquante dollars empruntés, avait déjà amassé plus d'un demi-million ? Qu'à vingt-trois ans, Jean Paul Getty était déjà millionnaire ?

— Euh, non... »

Le jeune homme connaissait bien entendu ces illustres milliardaires, mais il ignorait tout de leur précocité : elle le déprima. Peut-être était-il moins doué qu'il ne le croyait puisqu'il était sans le sou.

« Comment se fait-il qu'à ton âge tu sois encore obligé d'emprunter de l'argent? lui demanda son oncle qui revenait à la charge.

— Je ne sais pas, je travaille pourtant d'arrache-pied, dit le jeune homme qui se sentait subitement devenir minuscule dans le profond fauteuil où son oncle l'avait invité à prendre place.

— Crois-tu que c'est en se contentant de travailler fort qu'on finit par s'enrichir?

— Je... je pense que oui; enfin, c'est ce que j'ai toujours entendu dire...

— Tu gagnes combien annuellement?

— Environ vingt-cinq mille, enfin pas encore, mais je l'aurai à ma prochaine augmentation...

— Tu l'auras à ta prochaine augmentation...» dit avec une certaine dérision l'oncle fortuné, ce qui plongea à nouveau le jeune homme dans l'embarras : avait-il proféré une bêtise?

L'oncle dodelina de la tête en le considérant comme s'il ne pouvait croire ce qu'il venait d'entendre, tira une bouffée de son cigare et demanda :

« Crois-tu que celui qui gagne deux cent cinquante mille dollars travaille dix fois plus d'heures que toi?

— Euh non, bien entendu, ce serait physiquement impossible...

— Alors il s'y prend différemment... Il possède un secret que tu ignores...

— Ça me paraît évident.

— Je te félicite !

— Vous me félicitez ?

— Oui, et tiens... dit l'oncle en poussant dans sa direction une boîte de bois dont il souleva le couvercle : il s'y trouvait, bien rangés, sept ou huit des cigares qu'il affectionnait tant.

— Je vous remercie, mais je ne fume pas.

— Moi non plus, dit son oncle. Cependant, ces havanes ne sont pas faits de tabac mais des feuilles bien mûries d'une longue lettre dans laquelle Dieu remercie ceux qui ont réussi. »

L'image, surprenante, ne parut pas irrésistible au jeune homme, et pourtant, pour ne pas désobliger son oncle – qui sait, il lui consentirait peut-être enfin ce petit prêt salvateur ! – il accepta un cigare. Son oncle le lui alluma. La première bouffée le remplit de confusion. Il s'étouffa en effet, et les larmes lui montèrent aux yeux : il sourit pour se donner une contenance.

« Je t'offre ce cigare, reprit son oncle, pour te féliciter d'avoir compris ce que la majorité des gens ne comprennent pas : si le travail est nécessaire à la fortune, il ne suffit pas. Le problème, c'est que la plupart des gens sont trop occupés à essayer de gagner leur vie pour prendre le temps de réfléchir à leur sort. Montre-moi cent personnes et je t'en désignerai quatre-vingt-dix-neuf qui n'ont jamais consacré une heure de leur vie à se demander comment faire fortune. Au lieu de réfléchir, ils se plaignent, ils accusent le hasard, les autres : leur patron, leurs collègues, leurs parents, leur conjoint. Alors que chacun peut façonner son propre destin, s'il le veut vraiment.

— Il faut dire que la situation économique n'est pas rose, objecta le jeune homme.

— En 1945, est-ce qu'elle était rose pour les Japonais dont le pays avait été détruit par la guerre ?

15

— Euh, non...

— Est-ce que cela les a empêchés de devenir une des nations les plus puissantes du monde, même s'ils ne disposaient d'aucune matière première ?

— Non.

— Parce qu'ils se servaient de la plus importante des matières premières. Ça ! dit l'oncle en pointant son index vers sa tempe droite. Le malheur, c'est que la majorité des gens ne s'en servent pas... Et leurs rêves demeurent des rêves... »

Il secoua la tête, pensif, comme s'il se désolait de cette paresse qui empêchait tant d'êtres de vivre la vie dont ils rêvaient. Il reprit :

« Mais toi, dis-moi, qu'est-ce que tu cherches au juste dans la vie ? Quel est ton rêve ?

— J'aimerais devenir riche..

— Au moins tu n'as pas honte de l'avouer. Tu me plais. Moi aussi, à ton âge, je voulais devenir riche. Et je n'avais pas peur de le dire. Mais pourquoi au juste veux-tu devenir riche ? Y as-tu déjà réfléchi ou est-ce seulement le rêve banal de millions de gens qui ne lèveront jamais le petit doigt pour le réaliser ?

— Je veux devenir riche parce que je suis pauvre. Je veux devenir riche parce que je désire tout connaître : les plus belles villes du monde, les plus grands musées, les plus grands restaurants. Je veux devenir riche pour être libre de faire ce que je souhaite, quand je le souhaite, où je le souhaite. Je veux être riche parce que je sais, même si les événements sont contre moi, que c'est mon destin !

— Tu me plais de plus en plus, jeune neveu, je ne croyais pas que tu avais les idées si claires. »

Le jeune homme découvrait lui aussi son oncle et le trouvait de plus en plus philosophe.

Peut-être était-ce pour cette raison qu'il avait, comme on dit, réussi dans la vie. Dans l'Antiquité, Platon souhaitait que les rois fussent philosophes, et les philosophes, rois. Aujourd'hui, comme il n'y avait plus de rois, peut-être les philosophes devaient-ils se contenter de devenir millionnaires, et le devenaient plus facilement que les autres hommes parce qu'ils comprenaient leur nature et leurs besoins : c'est toujours le début de la fortune !

«Enseignez-moi, dit le jeune homme d'un ton presque suppliant. Je suis prêt à tout pour atteindre mon but.

— Et si, une fois devenu riche, tu n'es pas plus heureux, est-ce que tu vas m'en vouloir ?

— Je suis sûr qu'une fois riche je ne serai pas malheureux.

— Tu prends un risque.

— Un risque ? dit le jeune homme qui ne voyait pas du tout où voulait en venir son oncle.

— Oui. Parce que lorsque tu es pauvre et malheureux, tu as une excuse, tu peux toujours te dire : si j'étais riche, je serais heureux, mais une fois riche, tu n'as plus d'excuse, tu es laissé face à toi-même...

— Je suis prêt à prendre le risque, déclara le jeune homme. Vous êtes la seule personne riche que je connaisse, enseignez-moi le secret de la réussite. Je vous en prie du fond du cœur.»

L'oncle plissa les lèvres.

«Non, dit-il enfin. Je ne peux pas te l'enseigner. Pour pouvoir enseigner quelque chose, il faut l'avoir réussi parfaitement.

— Mais vous êtes riche, vous avez tout, dit le jeune homme.

— Oui, c'est vrai, admit son oncle, je suis riche. Mais je n'ai pas tout, parce qu'en cours de route j'ai perdu quelque chose de plus important que la richesse.

— Ah, je... » commença à dire le jeune homme qui, pris d'une pudeur soudaine, n'osa pas questionner son oncle.

Mais ce dernier semblait en veine de confidence et, après une hésitation, il avoua :

« Lorsqu'on commence à faire beaucoup d'argent, c'est grisant, on se laisse entraîner dans un véritable tourbillon et on oublie souvent notre raison de vivre... »

Il n'en dit pas davantage, mais le jeune homme comprit que c'était sans doute parce qu'il l'avait négligée que sa tante était partie, plusieurs années auparavant, ce qui avait causé un véritable drame dans la famille.

« Je vois, je suis vraiment désolé... »

Après un assez long silence, il se sentit embarrassé et comprit qu'était venu pour lui le moment de partir. Il était doublement déçu. Il n'avait pas obtenu de prêt, même dérisoire, et il avait appris que rien n'est simple dans la vie. La conquête de la richesse, si exaltante en apparence, comportait non seulement des difficultés mais aussi des pièges dont un paraissait terrible : perdre le bonheur ! Il se leva et déclara :

« Bon, je vous remercie de m'avoir accordé cette entrevue. Je ne vous dérangerai pas plus longtemps. »

Son oncle se leva à son tour, en silence, et ne crut pas bon de le raccompagner à la porte. Le jeune homme aurait pu y voir de l'impolitesse : il en fut plutôt soulagé. Il ne tenait pas à ce que son oncle voie sa vieille

Mustang. Il s'était déjà assez humilié en tentant vainement de lui emprunter de l'argent! Il avait mis la main sur la porte et allait sortir lorsque son oncle le rappela :

« Attends, dit-il, je n'aime pas te voir partir ainsi, les mains vides. Tu es brillant, tu m'as l'air de savoir ce que tu veux, tu vas donc forcément réussir : tu as seulement besoin d'un petit coup de pouce. »

Exactement! pensa le jeune homme.

« Je connais quelqu'un qui peut t'aider. C'est non seulement l'homme le plus riche que je connaisse, mais aussi l'homme le plus heureux.

— Comment s'appelle-t-il?

— Je n'ai jamais vraiment su son nom. On le surnomme tout simplement "le millionnaire". Il m'a aidé à mes débuts. Peut-être acceptera-t-il de t'aider toi aussi. »

Il chercha sur son bureau une plume et un bout de papier sur lequel il griffonna quelque chose.

« Tiens, dit-il. Voilà son adresse.

— Je vous remercie infiniment, répondit le jeune homme, qui s'approcha pour prendre l'adresse.

— Mais j'y pense, fit l'oncle, tu ne peux pas arriver comme ça chez le millionnaire, comme un parfait inconnu. Je vais te faire une lettre de recommandation. »

Il ouvrit un élégant étui de cuir renfermant son magnifique papier à lettre avec en-tête dorée et, plume en main, se pencha pour expédier l'indispensable lettre de recommandation. Mais il releva la tête, visiblement agacé par l'indiscrétion tout involontaire du jeune homme.

« Si tu permets...

— Bien entendu... je m'excuse... »

Le jeune homme s'éloigna poliment de quelques pas dans le bureau, admira la belle bibliothèque remplie de magnifiques ouvrages à reliure de cuir. Lorsqu'il se retourna, son oncle mettait la lettre dans l'enveloppe, qu'il ne cacheta pas et lui remit aussitôt en le prévenant :

« Je te demanderais de ne pas lire cette lettre de recommandation. Si jamais tu la lis, tu... tu auras probablement un problème, et la seule manière de t'en sortir sera de faire comme si tu ne l'avais jamais lue... conclut-il un peu mystérieusement.

— Je vois... »

Le jeune homme avait dit cela par politesse, mais en réalité il ne voyait pas. De toute façon, cela ne lui paraissait pas bien grave. Son oncle, c'était archiconnu dans la famille, était un excentrique. Il ne faisait jamais rien comme tout le monde : c'était d'ailleurs peut-être pour cela qu'il était devenu riche !

La précieuse lettre de recommandation en poche, il serra avec reconnaissance la main de son oncle et se sépara de lui.

Il était exalté.

Il lui semblait que les vents depuis si longtemps défavorables de sa vie avaient enfin tourné. Il repartait peut-être de chez son oncle sans l'argent qu'il avait espéré, mais il n'avait pas les mains vides. Il avait obtenu de son oncle beaucoup mieux que quelques dollars que ses dettes auraient de toute manière engloutis en quelques jours : la possibilité de rencontrer un millionnaire prêt à lui révéler ses secrets !

Il résolut de rendre immédiatement visite à ce dernier.

Lorsqu'on attend depuis des années un signe du destin, on est incapable de patienter une seconde de plus avant d'aller à sa rencontre !

2

Où le jeune homme rencontre un vieux jardinier

Le jeune homme arriva bientôt devant la demeure du millionnaire. Une imposante grille en défendait l'entrée : elle ne portait ni le nom ni les initiales du propriétaire mais, en son milieu, un merveilleux entrelacs de roses métalliques.

Le jeune homme avait été prévenu que le millionnaire était riche, ce qui est une évidence, mais il ne s'imaginait pas qu'il pût posséder une résidence aussi princière : c'était en réalité un château de type français qui devait bien compter une cinquantaine de pièces!

Un malaise s'empara de lui. Un homme si immensément riche n'accepterait jamais de recevoir quelqu'un qu'il ne connaissait ni d'Ève ni d'Adam, qui arrivait comme un cheveu sur la soupe, sans être annoncé.

Dans une vieille Mustang rouillée!

Sans avoir complètement cédé, comme la plupart de ses contemporains, à l'aveuglante illusion des rutilantes carrosseries, notre héros était bien conscient que pour un homme – ou une femme! – la voiture était l'étalon de la valeur personnelle. Avec la sienne, il passerait à coup sûr pour un raté et effraierait d'ailleurs peut-être le gardien qui, à ce moment-là, s'avançait vers lui pour s'informer des motifs de sa visite.

Il décida de faire marche arrière et alla garer sa voiture un peu plus loin dans la rue. Il se tenait le raisonnement suivant :

« Si ma Mustang trahit assurément ma pauvreté, on ne saura pas ce que je conduis si j'arrive comme un piéton. » Il s'assurait ainsi du bénéfice du doute. Il revint donc à pied, aperçut bientôt le gardien qui regardait dans sa direction sans pouvoir le voir.

Le jeune homme ne semblait plus aussi sûr de son fait. Il hésita : son idée de se présenter à pied n'était pas si bonne, au fond. Ne se ferait-il pas rabrouer comme un colporteur ou un mendiant ?

Pourtant, il possédait la lettre de recommandation.

Mais était-elle assez convaincante pour lui servir de « Sésame, ouvre-toi » ?

Il tira l'enveloppe de sa poche, regarda à l'intérieur, puis hésita : il venait de se rappeler la promesse faite à son oncle.

Mais son excessive prudence – ou la crainte du ridicule – l'emporta : il rompit son serment. Il déplia la lettre, crut à une erreur ou à une vilaine plaisanterie : l'enveloppe ne contenait rien de plus qu'une feuille blanche avec, en bas, à gauche, à l'endroit habituel, la signature ironique de son oncle !

Il croyait rêver ou, pour mieux dire, faire un cauchemar. Médusé, il tourna, retourna la lettre : rien !

Une simple feuille blanche, comme le plus minimaliste des tableaux qui eût simplement porté la signature de son auteur !

Il comprit l'insistance mystérieuse de son oncle : il lui avait demandé de ne pas ouvrir la lettre pour lui jouer un mauvais tour !

Ce qu'il avait été naïf!

Son oncle s'était payé sa tête!

Mais il se hérissa : son oncle n'aurait pas le dernier mot! Il n'avait pas besoin de sa lettre ridicule! Il se présenterait à la grille et dirait tout simplement qu'il avait été recommandé par son oncle. Le tour serait joué!

Cette pensée l'enhardit. Il s'avança aussitôt vers la grille où le gardien, l'air toujours soupçonneux, attendait.

« Que puis-je faire pour vous, jeune homme? demanda ce dernier.

— Je voudrais rencontrer le millionnaire.

— Vous avez rendez-vous?

— Non.

— Je regrette. Le millionnaire est un homme très occupé. Il ne reçoit pas les inconnus sans rendez-vous.

— Mais je ne suis pas un inconnu. Je... C'est mon oncle qui m'envoie, c'est un ami personnel du millionnaire.

— Oh, je vois, dit avec un respect soudain le gardien. Puis-je savoir qui je dois annoncer? »

Le jeune homme lui dit le nom de son oncle, ce qui ne provoqua pas chez le gardien la réaction qu'il escomptait.

« Attendez », dit-il.

Il passa dans la petite guérite d'où il accomplissait sa garde et, après un coup de fil, revint à la grille :

« Vous avez une lettre de recommandation? demanda-t-il.

— Oui, oui, dit le jeune homme qui un instant crut qu'il pourrait s'en tirer sans la montrer.

— Je peux la voir? »

Le jeune homme bafouilla : il était cuit !

Il pensa d'abord rebrousser chemin. Mais il se rappela aussitôt les mystérieuses paroles de son oncle : «Si jamais tu lis la lettre, la seule manière de t'en sortir sera de faire comme si tu ne l'avais pas lue...»

Son petit doigt lui dit que la sympathie de son oncle n'avait pas été feinte. Il décida de tenter sa chance. De toute manière, il n'avait rien à perdre...

Il tendit la lettre au gardien et attendit, le cœur battant. Le gardien en prit rapidement connaissance – le contraire eût été étonnant ! – puis, le visage impassible, la lui remit. Le jeune homme, qui regrettait maintenant sa témérité, s'attendait à ce qu'il l'envoie promener, mais à la place il ouvrit enfin la grille : «Vous n'avez qu'à suivre le chemin. Un domestique vous accueillera.

— Je vous remercie», balbutia le jeune homme, étonné de sa bonne fortune.

Son audace le servait. Peut-être, après tout, n'en avait-il pas suffisamment fait preuve dans le passé, d'où sans doute ses insuccès. Il faut dire qu'à force de recevoir des coups du destin, le plus beau des enthousiasmes finit par s'aplatir ! Mais cette époque était révolue, il en avait la conviction. Sa nouvelle vie commençait.

Par une promenade d'ailleurs charmante dans un véritable paradis. Car c'est l'impression que donnait le vaste domaine du millionnaire, avec ses milliers de fleurs, ses arbres bien taillés, sa pelouse lustrée comme un impeccable tapis. Malgré tout le respect – et la gratitude – qu'il devait à son oncle, le jeune homme se fit la remarque qu'à côté du millionnaire, il faisait figure de parent pauvre. Il pensa : nous sommes toujours le riche – ou le pauvre – de quelqu'un !

Il pensa également : cette fois-ci, il ne faut pas que je rate mon coup! Il faut que je crée une bonne impression! Alors il s'avisa que ses vêtements étaient démodés, ses chaussures usées : si au moins il les avait cirées avant cette visite capitale!

Plus il approchait de la demeure du millionnaire, plus il en découvrait les beautés architecturales. Ce devait être étrange de vivre tous les jours dans pareil château!

Devant la porte principale, le chemin s'élargissait pour s'arrondir autour d'une fontaine fleurie de rosiers, dans un *parking* où brillait, en cette fin d'après-midi, la carrosserie d'une Rolls ancienne mais parfaitement entretenue.

Il l'admira un instant, se félicita d'avoir abandonné sa vieille Mustang dans la rue, puis gravit les sept marches de l'escalier qui menait à la porte principale, une porte haute et sombre bardée de métaux ouvrés qui figuraient une multitude de roses : décidément, c'était l'image de marque de la maison!

Intimidé, nerveux, il prit une grande respiration, souleva le lourd heurtoir de bronze, mais n'eut pas le temps de frapper, car la porte se déroba devant lui : un domestique, fort âgé, et fort respectable avec son uniforme noir et sa tête grisonnante, lui ouvrait :

« Bienvenue, jeune homme.

— Je suis venu rencontrer le millionnaire.

— Oui, je sais », dit le vieux domestique en esquissant un sourire sympathique : il avait remarqué la nervosité du visiteur et semblait vouloir l'atténuer par son affabilité.

Il l'introduisit dans un hall immense – plus grand à lui seul que tout l'appartement du jeune homme! – puis, par deux portes en enfilade (une des caractéristiques de la maison), le fit passer dans une pièce fort lumineuse, dont la nature et le nom étaient d'ailleurs indiqués à l'entrée par une belle plaque peinte à la main : salle verte. L'annonce n'était pas trompeuse : la pièce était en effet remplie de plantes et de fleurs parmi lesquelles le jeune homme crut reconnaître de belles variétés d'orchidées. Un des murs était éclairé par de grandes portes françaises, qui étaient d'ailleurs ouvertes et donnaient sur une magnifique roseraie.

«Mon maître vous demande de l'attendre au jardin, expliqua le domestique, qui laissa le jeune homme au seuil de la porte.

— Je vous remercie.»

Le domestique se retira pour vaquer à ses affaires. Resté seul, le jeune homme eut une hésitation, presque un malaise : était-ce la nervosité ou le parfum trop riche des nombreuses fleurs qui lui montait à la tête ?

Il s'avança enfin, admira la roseraie : il n'en avait jamais vu de pareille ! On aurait dit les célèbres jardins de Monet, à cette nuance près qu'il ne s'y trouvait que des roses ! Des roses, des roses et encore des roses : toujours recommencées. De toutes les variétés et de tous les coloris ! Et qui éclataient en plates-bandes, et qui grimpaient sur d'élégants treillis, et qui poussaient, plus solitaires, en arbustes étonnants.

Le jeune homme découvrait une facette inattendue de la richesse : elle ne permettait pas seulement la banale jouissance des voitures luxueuses ou des belles maisons, mais aussi l'éblouissement quotidien de la pure beauté des roses.

Le jeune homme pensa, lui qui avait de la difficulté à garder vivante son unique plante verte, que pareille roseraie devait demander des soins considérables.

Aussi ne fut-il pas étonné d'apercevoir, au détour d'une allée, un jardinier qui, vêtu d'une vieille salopette, la tête protégée du soleil par un large chapeau de paille, était penché sur un rosier, sécateur en main.

Près de lui, il aperçut un très beau banc de pierre où il résolut de s'asseoir pour attendre le millionnaire. Alors qu'il passait près du jardinier, ce dernier interrompit son travail, se tourna vers lui et lui adressa un aimable sourire. C'était un homme assez âgé dont le visage, qu'il ne voyait qu'imparfaitement à cause de l'ombre qu'y jetait son grand chapeau, ne semblait pas avoir été trop marqué par la vie. Le jeune homme lui rendit son salut et alla s'asseoir, un peu mal à l'aise de ne rien faire devant quelqu'un qui travaillait.

Aussi ne fut-il pas contrarié de voir que le jardinier, au lieu de reprendre son travail, engageait la conversation.

« Tu es de la famille ?

— Euh, non. Je suis venu rencontrer le millionnaire.

— Tu le connais ?

— Non, c'est mon oncle qui m'envoie.

— Je vois, je vois... Et pourquoi veux-tu rencontrer le millionnaire ?

— Pour lui demander conseil.

— C'est plus sympathique que de lui demander de l'argent, comme le font neuf visiteurs sur dix. »

Diable ! pensa le jeune homme, ce jardinier semble bien au courant des affaires de la maison ! Mais c'était peut-être normal, après tout : il était âgé et sans doute au service du millionnaire depuis des années !

Le jardinier se détourna et découvrit sur l'un des rosiers une branche malade. Le mal était grave, et, pour éviter une contagion fatale, il fallait prendre les grands moyens. Il s'agenouilla, plaça les lames ouvertes de son sécateur à la base de la branche, mais, malgré tous ses efforts, ne parvint pas à la couper.

Il se tourna en direction du jeune homme :

« J'ai besoin d'un sécateur plus grand pour couper cette branche malade. Tu me rendrais un grand service en allant le chercher dans la remise, là-bas, au bout de l'allée. Je ne suis plus très jeune et je dois ménager mes pauvres jambes... »

Le jeune homme aperçut en effet la remise, qui semblait une charmante maisonnette de poupée, mais il se rebiffa intérieurement. Pourquoi ce jardinier ne faisait-il pas son travail ? Lui n'était qu'un simple visiteur, en définitive, et ne lui devait rien !

« Je... si le millionnaire arrive et ne me trouve pas au jardin...

— Je lui demanderai de t'attendre...

— Bon... » dit le jeune homme.

Et il marcha d'un pas vif vers la remise, où il trouva rapidement un sécateur plus gros parmi les sept ou huit qui étaient suspendus au mur. Il le rapporta en vitesse au jardinier, qui plissa les lèvres :

« Non, pas celui-là, il ne fonctionne plus très bien... »

Le jeune homme réprima un mouvement d'agacement mais, comme le millionnaire n'était pas encore arrivé au jardin, il repartit en vitesse vers la maisonnette et en rapporta un autre sécateur :

« Non, pas celui-là, il appartenait à ma femme, et il a une valeur sentimentale... »

Cette fois-ci, le jeune homme faillit éclater. Ce vieux jardinier était décidément très capricieux !

Ce dernier sembla d'ailleurs deviner la sourde impatience du jeune homme. Il avait relevé la tête, et, pour la première fois, le visiteur voyait ses yeux, des yeux bleus, très lumineux, dans lesquels une sorte de moquerie semblait briller, comme si la situation l'amusait beaucoup.

Le jeune homme ravala sa salive et repartit d'un pas de course vers la remise, dont il revint avec un troisième sécateur qui, il l'espérait, ferait l'affaire cette fois-ci ! Sinon ce pauvre jardinier se débrouillerait avec ses vieilles jambes !

Mais il eut la surprise de découvrir que la branche malade était déjà coupée : le vieux jardinier l'avait jetée dans l'allée et examinait le rosier fraîchement amputé. Outré, le jeune homme faillit dire sa manière de penser au jardinier. Mais une fois de plus il contint son mouvement d'humeur. Il posa calmement le sécateur au pied du jardinier, qui se tourna vers lui avec un large sourire triomphant :

« J'ai finalement réussi à la couper ! »

Le jeune homme eut envie de dire qu'il s'en moquait éperdument, qu'il était agacé de s'être déplacé pour rien, mais à la place :

« Je... je vous félicite ! »

Le jardinier le toisa comme s'il voulait sonder sa sincérité, puis déclara :

« La patience est une vertu qui n'est plus très populaire aujourd'hui, surtout auprès des jeunes gens comme toi. Pourtant, il en faut beaucoup pour devenir riche. »

Le jeune homme eut envie de rabrouer le vieux jardinier, car aussitôt il pensa : qui est-il pour donner des conseils sur la richesse ? S'il avait su comment s'y prendre, il ne serait pas encore jardinier à soixante-dix ans !

« Grand-papa ! » entendit-il alors crier derrière lui.

C'était une très jolie voix enfantine. Il se tourna et aperçut une fillette d'une douzaine d'années, aux jolies boucles blondes. Elle ne fit pas attention à lui et s'arrêta devant le jardinier, qui l'accueillit avec le sourire attendri d'un grand-père heureux :

« Il faut que tu me donnes vingt dollars tout de suite, grand-papa.

— Ma pauvre enfant, je n'ai pas de billet de vingt dollars sur moi.

— Il me les faut absolument ! C'est à cause d'une poupée que j'ai vue au magasin ce matin. Il en reste juste une et si je ne vais pas la chercher tout de suite, je risque de la perdre pour toujours...

— Pour toujours... » répéta le vieux jardinier.

Il se tourna vers le jeune homme :

« Tu n'aurais pas un billet de vingt dollars, hein ? Tu ferais le bonheur d'une petite fille et de son grand-père. »

Décidément, pensa le jeune homme, ce vieux est bien exigeant ! Qu'est-ce qu'il lui demanderait, ensuite ? Ses souliers, ou sa voiture ? Quoique, à la réflexion, il s'en serait volontiers débarrassé si du moins il avait eu la certitude de pouvoir les remplacer par quelque chose de mieux !

Il fouilla néanmoins dans sa poche, constata qu'il avait en tout et pour tout vingt-cinq dollars. Le réservoir de sa Mustang était presque vide, il avait atteint la limite de toutes ses cartes de crédit et il ferait peut-être une panne sèche sur le chemin du retour ! Perspective réjouissante s'il donnait ces vingt dollars au jardinier !

La petite fille s'était approchée de lui et vit dans sa main le billet salvateur.

« Oh, il les a ! » s'exclama-t-elle.

Le jeune homme se sentit piégé : il ne pouvait plus reculer ! Et, à regret, il tendit le billet à l'adorable fillette qui, au lieu de le remercier, s'empressa d'aller embrasser son grand-père, avant de repartir aussi vite qu'elle était arrivée.

« Les enfants, il leur faut tout, tout de suite ! » dit le jardinier au jeune homme qui, dépité, s'empressa de remettre dans sa poche les malheureux cinq dollars qui lui restaient.

Il consulta sa montre : il devait se trouver au jardin depuis une bonne vingtaine de minutes, maintenant. Décidément, le millionnaire n'était pas pressé de le rencontrer. Le jeune homme ne connaissait pas assez les règles des grands de ce monde pour savoir que l'homme le plus important est toujours celui qui se fait le plus attendre : sinon on risquerait de croire qu'il n'est pas le plus important !

Le jeune homme se rassoyait patiemment sur le banc lorsque le vénérable domestique qui lui avait ouvert vint à son tour s'adresser au jardinier.

« Si je puis me permettre de déranger monsieur. Il y a... enfin un des domestiques vient de me remettre sa démission. Il veut qu'on lui règle immédiatement ses deux semaines. Il y en a pour neuf cents dollars...

— Oh, je vois... »

Le jardinier tira de sa poche une imposante liasse d'argent.

« Tiens, dit-il en tendant au domestique un billet de mille dollars.

— Vous n'avez pas de monnaie ?

— Non, il ne faut pas perdre ses bonnes habitudes. Mais ce n'est pas grave, je pense que nous allons survivre. Il peut tout garder.

— Très bien, monsieur», dit le domestique en s'inclinant respectueusement.

Le jeune homme était outré. Il s'était fait rouler. Il se leva d'un seul bond du banc de pierre.

«Pourquoi m'avez-vous demandé ce billet de vingt dollars? demanda-t-il dans un mouvement d'humeur.

— Parce que je n'avais pas de billet de vingt dollars.

— Mais... et tout cet argent!

— Je te le dis, je n'ai pas de billet de vingt dollars. Si tu peux en trouver un, je te le donne.»

Et, devant le jeune homme sceptique, il déploya sa liasse comme un éventail. Le jeune homme, sidéré, constata qu'il n'y avait en effet aucune coupure de vingt dollars : il n'y avait que des billets de mille dollars, au moins une vingtaine, peut-être plus. C'était la première fois de sa vie que le jeune homme voyait un billet de mille dollars. C'était aussi la première fois qu'il voyait autant d'argent. Et dire que ce n'était que de l'argent de poche!

Alors tout s'éclaira dans son esprit : le vieux jardinier n'était pas un jardinier ordinaire.

«Vous êtes le millionnaire?

— C'est ce qu'on dit», répliqua le vieil homme avec un sourire.

Le jeune homme eut une bouffée de chaleur : il avait failli tout gâcher en envoyant promener ce modeste jardinier qui était en réalité le millionnaire. D'ailleurs, qui sait, ce dernier avait peut-être voulu le tester en lui demandant de petits services.

Le millionnaire regarda en direction du soleil et laissa tomber, comme pour lui-même :

«Oh, déjà cinq heures!»

Le jeune homme consulta sa montre-bracelet et constata qu'il était dix-sept heures cinq. Était-ce une coïncidence ? Peut-être le millionnaire, qui avait visiblement des dispositions de jardinier, avait-il aussi cette faculté, étonnante pour les hommes de la ville mais banale pour les hommes de la campagne, de lire l'heure par la simple position du soleil dans le ciel.

« C'est l'heure de mon souper. Les gens chic mangent plus tard, je sais, mais je ne mange pas pour plaire aux gens chic. Je mange pour rester en santé. Comme le disait le vieil Hippocrate : "Il faut que ton aliment soit ton remède, et ton remède ton aliment."»

Le jeune homme n'avait jamais entendu cette pensée, mais elle lui plut.

« Est-ce que je peux t'inviter à partager mon repas, jeune homme ?

— Euh ! oui, avec plaisir.

— J'en suis ravi. Allons. »

Il se mit alors à marcher d'un pas très vif qui étonna le jeune homme. Cela le confirma dans l'idée que le vieillard s'était moqué de lui : il n'avait pas du tout les jambes fatiguées d'un septuagénaire et aurait fort bien pu aller chercher lui-même son sécateur. Le jeune homme plissa les lèvres. Il lui faudrait se méfier de ce vénérable vieillard : il avait l'air d'avoir un goût prononcé pour la plaisanterie.

Tout en suivant le millionnaire, le jeune homme était envahi par tout un train de pensées. La vie était vraiment étonnante ! Le dicton avait raison : il ne fallait pas se fier aux apparences. Un homme qu'il avait toujours cru riche et heureux – son oncle – était seulement riche, et un modeste jardinier cachait un véritable millionnaire !

LE MILLIONNAIRE

Au seuil des portes françaises, le millionnaire posa, sur une petite table, son sécateur, ses gants de jardinage et son grand chapeau de paille, découvrant une belle tête toute blanche.

Et à travers des pièces immenses et luxueuses, il entraîna le jeune homme émerveillé jusqu'à la salle à manger.

3

Où le jeune homme découvre l'amour véritable du travail

La salle à manger était immense, et ses murs, très hauts (le jeune homme n'en avait jamais vu de semblables!), étaient décorés de miroirs et de tableaux : presque essentiellement des portraits. Étaient-ce des membres de la famille du millionnaire? Le jeune visiteur reconnut la charmante fillette qui, quelques minutes plus tôt, était venue lui demander de l'argent à la roseraie. Il lui sembla aussi reconnaître le millionnaire, à une époque où il était un peu plus jeune. À sa gauche se trouvait l'impressionnant portrait d'une femme très belle dont le sourire radieux illuminait toute la pièce.

Même si la salle à manger était vaste, la table n'y paraissait pas petite, car elle pouvait aisément recevoir une vingtaine de convives. Le millionnaire prit place à une des extrémités et invita le jeune homme à s'asseoir tout près, à sa gauche.

Devant lui, dans un très grand vase, une bonne trentaine de roses magnifiques répandaient leur parfum subtil.

Le couvert pour deux était déjà mis.

Le vieux domestique fit aussitôt son apparition et posa devant chaque homme ce qui se révéla être de très beaux menus de cuir noir. Lorsque le jeune homme s'en rendit compte, il fut estomaqué.

Un menu !

Du jour, en outre, puisqu'il était daté !

Comme dans un hôtel !

« Je vous laisse le temps de faire votre choix, dit le domestique, qui s'apprêtait à se retirer.

— Non, non, mon ami, ce ne sera pas nécessaire, je sais déjà ce que je veux et notre jeune ami est un homme de décision, n'est-ce pas ?

— Euh... oui », dit le jeune homme qui, ébloui par un tel faste, ne pensait pas avec autant de clarté que d'habitude.

Il consulta rapidement le menu, qui indiquait quatre ou cinq plats principaux en plus de quelques entrées.

« Je vais prendre le poulet grillé.

— Comme légume d'accompagnement ? demanda le domestique.

— Des frites.

— Des frites pour monsieur. Et comme entrée ?

— Des escargots.

— Très bien. Et vous monsieur ? dit le domestique, qui avait récupéré le menu du jeune homme et s'était tourné vers le millionnaire.

— Est-ce que tu crois que le chef pourrait me préparer quelque chose qui n'est pas sur le menu ?

— Mais bien entendu, monsieur.

— Alors qu'il me réchauffe si possible les restes d'hier soir, dit le millionnaire en refermant le menu.

— Quelque chose à boire ?

— Oui. Comme d'habitude. Oh, j'oubliais, dit-il en se tournant vers le jeune homme, tu aimes le champagne ?

— Euh oui, quoique... je n'en bois pas très souvent.

— Ça viendra avec le temps.»

Le domestique se retira avec les deux menus. Le jeune homme allait d'émerveillement en émerveillement. Oui, son oncle avait eu absolument raison : le millionnaire était vraiment riche! Non seulement pouvait-il se targuer de posséder une demeure princière, avec personnel, mais il avait un menu à sa table : quel comble! Et puis il était excentrique ou en tout cas sans prétention, puisqu'il était passé dans cette salle à manger somptueuse sans retirer sa salopette de jardinier!

Cela avait en tout cas un avantage : le jeune homme se trouvait moins mal à l'aise dans ses vêtements usés.

«Alors, demanda le millionnaire, qu'est-ce que tu as à me vendre?

— Moi? demanda le jeune homme, mais rien.

— Tout le monde a quelque chose à vendre! Tu cherches un emploi? Du financement pour démarrer une affaire?

— Non, je... suis venu vous demander conseil. J'aimerais que vous m'aidiez à devenir millionnaire, comme vous avez aidé mon oncle, il y a plusieurs années...

— Tu veux devenir millionnaire. Je vois. Où en es-tu, actuellement?

— Euh, disons que ma courbe économique pourrait facilement connaître une amélioration, répondit-il en un euphémisme spirituel.

— Tu veux dire que tu n'as rien?

— En effet.

— Même pas un petit vingt-cinq mille dollars caché quelque part?

— Oh! non, vraiment pas...

— Cinq mille dollars, alors?

— Non, je n'ai même pas mille dollars, dit un peu honteusement le jeune homme.

— Bon. Ce n'est pas dramatique. C'est peut-être même encore plus excitant, à la réflexion, ajouta le millionnaire. Parce que, plus tard, tu te rendras compte que ce qui est le plus passionnant dans cette aventure, c'est le voyage lui-même.

— Oui », dit le jeune homme d'une voix à demi convaincue.

Car il pensait : je ne suis pas sûr d'apprécier tellement l'expérience de la pauvreté ! Il lui semblait qu'il aurait préféré être riche tout de suite !

« Moi non plus, lorsque j'ai commencé, dit le millionnaire en évoquant avec une certaine nostalgie le passé, je n'avais rien. »

Il regardait le jeune homme et il semblait se revoir en lui, revoir son passé, ses débuts. Or qu'y a-t-il de plus excitant, de plus exaltant en toute chose que les débuts ? Alors qu'on a tout à prouver, tout à faire, tout à découvrir ! Le millionnaire interrompit sa rêverie muette et reprit :

« Dis-moi, t'es-tu déjà demandé pourquoi tu n'avais même pas mille dollars d'amassés à ton âge ?

— Euh, non...

— C'est peut-être la première chose que tu devrais faire. »

Sur ces entrefaites, le domestique revint avec une bouteille de champagne dont il fit habilement sauter le bouchon avant de servir à boire aux deux hommes dans des flûtes très fines.

« Buvons à ton premier million ! » dit le millionnaire en levant son verre.

Ce toast réjouit le jeune homme. Il avait toujours cru qu'il deviendrait un jour millionnaire, mais c'était la première fois qu'il entendait quelqu'un d'autre que lui en parler comme s'il s'agissait d'un fait accompli, ou en tout cas inévitable !

Il leva avec plaisir son verre, frappa celui du millionnaire. Il lui sembla que ce tintement était magique, qu'il marquait le début de son infaillible équipée vers la fortune ! Dans son enthousiasme, il vida sa flûte d'un seul coup. Puis, tout de suite, il éprouva un petit embarras : n'avait-il pas l'air de quelqu'un qui ne sait pas boire du champagne ? Pire encore : qui ne sait pas boire du tout ?

Le vieil homme en effet n'avait fait que tremper les lèvres dans le champagne et avait tout de suite reposé sa flûte, qu'il ne retoucha d'ailleurs plus du reste du repas.

Décidément, c'était un homme étonnant ! Il insistait pour avoir du champagne à sa table mais n'en buvait qu'une gorgée, toute symbolique !

Les entrées expédiées, le plat principal arriva, et le jeune homme à nouveau éprouva un malaise. À côté de lui – avec son assiette débordante de poulet grillé et de frites –, le millionnaire faisait figure d'épicurien achevé : les restes de la veille consistaient en une minuscule darne de saumon rose accompagnée d'une branche unique de brocoli !

Gêné de tout manger, le jeune homme laissa la moitié de son assiette. Le millionnaire, qui mastiquait longuement chaque bouchée, avait complètement vidé la sienne. Il regarda le jeune homme en sourcillant, comme s'il estimait qu'on pouvait juger quelqu'un par la manière dont il mangeait : cette assiette à moitié vide n'en disait-elle pas long sur la personnalité du jeune homme ?

Le millionnaire prit un peu son visiteur au dépourvu en lui demandant :

« Aimes-tu ton travail ?

— Non, avoua candidement le jeune homme. La publicité est intéressante en soi, mais l'agence où je travaille...

— Alors, je ne suis pas étonné que tu ne sois pas riche ! On ne réussit jamais dans un travail qu'on n'aime pas. La plupart des gens pensent que les millionnaires aiment ce qu'ils font parce qu'ils gagnent beaucoup d'argent : en réalité, ils gagnent beaucoup d'argent parce qu'ils aiment ce qu'ils font ! Ils ne le font d'ailleurs pas vraiment pour l'argent. Au début peut-être : ils ont commencé par l'ambition. Mais ils ont fini par la passion. Ce n'est plus vraiment l'argent qui compte pour eux. D'ailleurs, si tu veux vraiment savoir si quelqu'un aime son travail, pose-lui la question :"Si demain, tu te retrouvais avec cinq millions dans ton compte en banque, continuerais-tu à faire ce que tu fais ?"

« En général, les rares êtres qui ne remettraient pas leur démission illico sont justement ceux qui sont millionnaires, et pas parce qu'ils n'ont pas besoin de ces cinq millions : parce qu'ils ont besoin de leur travail pour vivre, alors que les autres en ont besoin pour survivre ! »

Le jeune homme se dit qu'effectivememt s'il voyait apparaître cinq millions dans son compte, son premier geste consisterait à abandonner son travail : ce qui ne faisait que confirmer ce qu'il pensait déjà. Le millionnaire reprit :

« L'Amour est la grande loi de la Vie. Il est la source et l'aboutissement de tout. Lorsque ton cœur n'est pas dans ton travail, lorsque ton travail n'est pas dans ton cœur, tu vas à l'encontre de cette Grande Loi. Celui qui fait ce qu'il aime, qui aime ce qu'il fait, est à mes yeux l'égal des Rois, et fût-il un modeste artisan, un simple ouvrier, je le place plus haut dans la hiérarchie humaine que l'homme d'affaires important qui est dominé par la hargne, l'avidité et la rivalité. Car le fruit du travail de cet homme empli de haine est amer et stérile : celui de l'homme plein d'amour est doux et profitable. Comprends cette Loi et respecte-la. Lorsqu'au travail s'empare de toi l'envie de céder à la colère, à la révolte, souviens-toi que chaque jour que tu passes sans aimer ce que tu fais est un jour perdu qui ne reviendra jamais. Et si ta frustration revient, vois en elle un signe et cherche un nouveau travail. Sinon tu te pétrifieras, sinon la colère et la haine rideront ton front, et l'ennui rendra triste et lourde ta paupière : alors assurément tu éloigneras la déesse de la Fortune, qui ne sourit qu'à ceux qui lui sourient. Pense à ce sentiment horrible qui t'habitera au moment de la mort lorsque, devant le bilan de ta vie, tu seras obligé de t'avouer : "Je me suis fait avoir par la société. Mes peurs ont eu raison de mes rêves." »

Les paroles du millionnaire allaient droit au cœur du jeune homme : le hantaient déjà ces sentiments d'échec et de révolte. Il n'avait pas eu le courage de répudier ses craintes comme une vieille épouse acariâtre et infidèle pour courir vers la fiancée nouvelle qui l'attendait patiemment sur le chemin de l'aventure. L'intarissable millionnaire se remit à parler :

« Il ne faut pas prendre la vie trop au sérieux, mais il ne faut pas penser non plus que nous disposons d'un temps infini pour faire ce que nous voulons faire. La vie, comme la santé, est le don le plus précieux et le plus mésestimé. On ne se rend compte de sa valeur qu'au moment de la perdre. Vis chaque jour de ta vie comme s'il était le dernier. Mais, en même temps, persévère comme si tu étais éternel. Demande-toi honnêtement : "Si je devais mourir demain, serais-je content de ma vie, du bilan de mes réalisations ?"

« "Si je devais mourir demain, pourrais-je dire sans mentir que j'ai fait aujourd'hui tout ce que j'ai pu pour être heureux ? Ou n'ai-je pas plutôt remis à plus tard le moment d'être heureux ?"

« "Si je savais que je mourrais dans un an, accepterais-je de continuer à faire un travail qui m'ennuie ? Accepterais-je de n'être que l'ombre de moi-même, de laisser mes rêves moisir dans l'antichambre de ma lâcheté ?" »

Le millionnaire se tut un instant puis s'adressa directement au jeune homme :

« Si tu savais que tu allais mourir dans un an, que ferais-tu ? Conserverais-tu ton emploi actuel ?

— Euh… non, je ne crois pas.

— Qui te dit que tu seras encore ici dans un an ? Trouves-tu supportable d'avoir donné la dernière année de ta vie à un travail que tu détestes ?

— Non…

— Alors, qu'attends-tu ?

— Je ne sais pas », dit en rougissant le jeune homme, qui jamais de sa vie n'avait été ainsi mis au pied du mur.

Le millionnaire le regardait avec un sourire plein de compassion. Il poursuivit :

« C'est une loi éternelle : dès que tu n'aimes pas ce que tu fais, dès que tu acceptes des pensées de haine en toi, ton âme s'abaisse et rétrécit : peu à peu tu cèdes la place aux vents contraires de l'existence, qui engendrent frustration et pauvreté. Car jamais la haine n'a engendré l'amour, jamais la haine n'a apaisé la haine. Lorsque tu refuses de laisser gonfler les voiles de ton optimisme par les vents contraires de l'existence, lorsque ton âme devient un port tranquille inaccessible aux vaisseaux du mécontentement, lorsque tu contemples et apprécies tout ce que tu fais, ton âme s'exalte et devient un soleil immense qui illumine toute ta vie.

— Mais si j'ai un patron qui me tape sur les nerfs, qui est injuste avec moi ?

— Vois malgré tout le bien dans chaque situation. Vois-y une occasion d'évolution. Lorsque tu n'auras plus rien à apprendre dans cette situation, la vie te poussera dans une autre direction. Et si tu ne pars pas de toi-même parce que tu es craintif, parce que tu manques d'audace, tu seras probablement remercié, ce qui, sans que tu le saches, sera probablement une bonne chose. Apprends à élever tes vibrations, à surmonter les obstacles et les contrariétés qui se dressent sur ton chemin et qui te viennent parfois de ton patron. Une fois que tu te seras élevé, ces contrariétés n'auront plus de prise sur toi. Et la situation contrariante disparaîtra : ton patron tout à coup changera d'attitude à ton égard, comme par enchantement. Ou alors tu te retrouveras dans une situation différente qui sera conforme à ta nouvelle harmonie intérieure, à tes nouvelles vibrations. Emplis ton cœur d'amour, vibre à un niveau élevé et noble, et les circonstances de ta vie ne pourront faire autrement que de s'accorder à tes vibrations. Car constamment le semblable attire le semblable. Des pensées harmonieuses, des pensées prospères attirent harmonie et prospérité dans la vie. C'est ainsi que pensent les véritables millionnaires, et c'est ainsi qu'ils vont tous les jours au travail comme s'ils partaient pour un voyage passionnant. Leur travail n'est pas une obligation : ils aiment leur travail et leur travail les aime.

« Je me rappelle, jeune, à quel point j'avais hâte, le soir, que le jour se lève, pour me remettre aussitôt au travail. J'aimais tellement ce que je faisais que je ne partais jamais en vacances qu'à regret. J'étais comme un enfant qu'on punit : on me retirait mon jouet préféré ! Mais je me consolais à l'idée que je ne prenais qu'un mois de vacances. Autour de moi, j'entendais souvent le même commentaire : "Si j'avais autant d'argent que toi, je prendrais six mois de vacances par année." Eh bien, c'est justement parce qu'ils parlaient ainsi que ces gens ne sont jamais devenus millionnaires. Je ne veux pas dire évidemment qu'il faut se rendre au bout du rouleau, se tuer au travail. J'avais d'ailleurs une règle sacrée : dès que je ne m'amusais plus, dès que je me sentais trop tendu, ou fatigué, dès que je sentais mon enthousiasme diminuer et mes vibrations baisser, je laissais tout et je prenais des vacances. Pour moi, des vacances brèves mais fréquentes ont toujours été idéales. De trop longues vacances m'ennuyaient et, à la fin, me fatiguaient au lieu de me reposer. Souvent, au bout de quatre ou cinq jours, mon bel enthousiasme était revenu, j'étais impatient comme un lion en cage : il fallait que je me jette à nouveau dans la mêlée. »

Il demeura un instant silencieux comme s'il repensait avec une certaine nostalgie à cette période trépidante de sa vie au cours de laquelle il avait amassé son immense fortune. Le jeune homme n'osait parler.

Il méditait les paroles du vieil homme.

Il méditait sur le vieil homme lui-même.

Un maître est en lui-même un enseignement : chacun de ses gestes, de ses regards est une leçon.

Le jeune homme ne le savait pas.

Mais son âme le savait pour lui.

Il avait toujours cru – peut-être parce qu'il n'en avait jamais rencontré – que les millionnaires étaient des êtres calculateurs et froids, et que c'est grâce à ces caractéristiques qu'ils avaient fait fortune. Il se rendait compte qu'un millionnaire pouvait aussi – en tout cas il en avait un véritable spécimen devant lui – être un véritable poète, un rêveur, mais un rêveur lucide, qui construisait sa vie comme un artiste.

Et comme un penseur.

En suivant des principes et des préceptes que la plupart des hommes ne connaissaient pas.

N'était-ce pas pour cette raison, précisément, qu'ils ne devenaient jamais millionnaires ?

Le vieil homme reprit :

« Sais-tu la chose au monde qui me rend le plus triste ? C'est de voir ces millions de gens qui tous les matins se lèvent de mauvaise humeur et se rendent à reculons au travail. S'ils n'aiment pas ce qu'ils font, pourquoi ne font-ils pas ce qu'ils aiment ?

— Il faut de l'audace…

— Je sais, je sais… Il y a le chômage, la récession, et tout et tout. Mais il reste quoi dans la vie lorsqu'on passe huit heures par jour à faire quelque chose qu'on n'aime pas et huit heures par jour à dormir ? Je vais te le dire.

Il reste des miettes! Il reste huit heures à s'étourdir en attendant le week-end ou les deux misérables semaines de vacances annuelles! Puis, à soixante-cinq ans, ces gens qui n'ont jamais vécu pensent qu'ils vont enfin commencer à vivre, mais ils n'en ont plus la force parce qu'ils se sont usés à travailler à contrecœur! Est-ce que c'est une vie?

— Ce n'est certainement pas la vie idéale.

— Et pourtant combien de gens se l'imposent quotidiennement parce qu'ils pensent qu'il n'y a rien d'autre, qu'ils n'ont pas le choix? L'esprit humain est quelque chose de bien mystérieux. »

Il retira du vase devant lui une rose, l'admira un instant, avec une émotion véritable :

« Prends cette rose. Elle n'a pas comme les hommes la faculté de penser. Et pourtant, chaque jour, en se levant, elle n'hésite pas à être une rose, à répandre son parfum. Elle ne craint pas de resplendir de toute sa beauté. »

Il se pencha sur la fleur pour la humer, et son regard sembla un instant se troubler comme s'il rêvait à une époque lointaine, à quelque bel idéal :

« L'homme, qui se croit bien malin, n'ose pas, lui, être l'homme véritable qu'il pourrait être. Il n'ose pas affirmer toute la noblesse, tout le génie qui est en lui. Il préfère ramper comme un ver au lieu de briller comme une étoile! »

Le jeune homme était ému : il se reconnaissait dans ce portrait. Lui aussi se sentait une force, un talent : mais un mauvais esprit semblait l'avoir emprisonné depuis longtemps. Pourrait-il se défaire de son emprise? Peut-être y arriverait-il grâce aux conseils du millionnaire, et alors il s'envolerait, il deviendrait ce qu'il avait toujours rêvé d'être...

4

Où le jeune homme découvre le portrait secret

«Crois-tu que tu pourras devenir riche un jour? demanda le millionnaire.

— Oui, répliqua le jeune homme.

— Vraiment?

— Oui.

— C'est bien, approuva le millionnaire. C'est le premier pas. Lorsqu'on ne croit pas vraiment à un projet, à un rêve, on ne passe pas aux actes. Et même si on le fait, on échoue. C'est une loi infaillible. On peut tromper les autres, on peut se tromper soi-même, mais on ne peut tromper la Vie. Elle reflète fidèlement nos pensées et nos croyances profondes.

«À la naissance, chaque homme porte en lui un tableau vierge. Tout ce qu'il vit, tout ce que ses parents, ses professeurs et ses amis lui enseignent et lui font vivre comme expérience forme petit à petit un portrait secret. Si, inconscients de l'énorme pouvoir destructeur – et formateur aussi – de leurs paroles, ils lui répètent, comme des tueurs à gages de l'âme : "Tu n'iras pas loin dans la vie parce que tu ne sais pas additionner 2 et 2!" ou encore : "Tu n'es qu'un idiot!", si, sans ouvrir la bouche, ce que leurs gestes, ce que leurs regards proclament est : "Tu es laid! Nous ne t'aimons pas! Nous préférons ton frère!", l'enfant se compose un terrible portrait qu'il portera parfois toute sa vie. Ce portrait marque son front comme un stigmate invisible qui pourtant influence tous ceux qu'il rencontre, tous les événements de sa vie. »

Le millionnaire se leva alors de table, invita le jeune homme à le suivre.

« Viens », dit-il.

Il l'entraîna vers un des murs :

« Ma femme, dit-il avec un sourire ému en désignant le beau portrait que le jeune homme avait remarqué à son entrée.

— Elle est...

— Morte. Il y a eu dix ans hier. Mais je sens sa présence comme si elle vivait encore ici. »

Une pause puis :

« Regarde tous ces portaits de famille. Ils te semblent bien réels, n'est-ce pas ?

— Oui. Ils sont très beaux.

— Eh bien, le portrait secret que tu as en toi, que tu le croies ou non, est aussi réel. Si un de ces miroirs était magique, ajouta-t-il en désignant une des nombreuses glaces murales, tu pourrais voir ce portrait qui influence tant ta vie. Ce serait peut-être un choc, parce que ce que tu verrais ne serait peut-être pas très beau. Mais cela importe peu. Parce que ce n'est qu'un brouillon dessiné par les autres. Le miracle de la vie, c'est que c'est toi l'artiste, c'est toi le peintre, et tu peux redessiner ce portrait secret et en faire le chef-d'œuvre que tu veux. »

Le jeune homme était exalté. Il s'interrogeait pourtant : comment réaliser ce prodige ? Comment refaire ce portrait qui sans doute me nuit tant...

Le millionnaire retournait vers la table. Le jeune homme passa devant un des miroirs, y vit son reflet et se demanda de quoi pouvait bien avoir l'air son portrait secret. Il pensa : ce serait amusant que ce miroir soit magique et puisse me révéler ce portrait dont me parle le millionnaire. Si du moins il existe vraiment, ajouta-t-il pour lui-même, car il n'était pas encore tout à fait convaincu.

« Ce portrait secret que tu portes en toi, tu peux dès aujourd'hui en faire ce que tu veux. Imagine-toi que ta pensée est un pinceau. Chaque pensée que tu as, chaque désir ajoute une touche à ton portrait. Si tu penses tous les jours : "Je deviendrai grand, je réaliserai tous mes rêves, j'aurai une vie merveilleuse", tu peins un tableau magnifique. Et la vie s'y pliera docilement, et tu auras cette existence merveilleuse.

« Par contre si, avec le pinceau de ta pensée, tu te dis : "Je ne vaux rien, je ne réussirai pas...", si tu laisses les autres te décourager, si tu les laisses ajouter leur petite touche destructrice au portrait secret de ton âme, tu auras une existence lamentable, tu ne connaîtras jamais la vie exaltante qui est là devant toi et qui n'attend que tes ordres pour être vécue.

« Rien ni personne ne t'arrêtera ; si ce n'est toi. Car chaque homme peut être son meilleur ami, et chaque homme peut être son pire ennemi.

« Tes désirs, tes rêves, tes pensées façonnent ton existence. Car ce qu'un homme pense tous les jours, il le devient inévitablement. Si tu veux connaître le sort que l'avenir te réserve, tu n'as qu'à te pencher sur tes pensées de ce jour : elles sont la promesse de demain. Ne scrute pas inutilement le ciel, ne cherche pas partout des signes, sonde plutôt ta foi : elle te révélera la récolte qui t'attend le long du chemin.

« Jeune homme qui es venu plein d'espoir à moi, qui attends de moi ce que seul tu peux te révéler à toi-même, puisque je ne peux comprendre pour toi ce que tu dois comprendre pour réussir, fais un examen sincère de toi-même. Au lieu d'imiter la plupart des gens qui passent leur soirée en face de la télé, passe courageusement une soirée devant toi. Si, seul avec toi-même, tu te trouves en mauvaise compagnie, ne t'en afflige pas trop : c'est que tu as du travail à accomplir pour devenir l'être que tu peux et dois devenir. Toujours tu as fui la solitude, car elle t'obligeait à cet examen, et peut-être craignais-tu de ne pas aimer ce que tu découvrirais. Mais plonge sans tarder, car, que tu le saches ou non, bref est le temps qui t'est imparti et précieuse est chaque heure ; alors plonge, la lumière est au bout de la nuit, et si tu ne plonges pas, jamais tu ne la verras. Nu devant ce miroir, demande-toi :

« "Est-ce que je crois en moi ?

"Est-ce que je crois vraiment en moi ?

"En mon succès ?

"En ma chance ?

"Est-ce que je crois pouvoir accomplir de grandes choses ?

"Est-ce que j'ai un rêve ? Est-il suffisamment clair pour que je puisse le formuler en noir sur blanc sur une seule feuille de papier ?

"Ou ne suis-je pas déjà un de ces somnambules, un de ces morts vivants qui ont renoncé à leur rêve et attendent comme des brebis soumises le jour lointain de leur retraite où ils pourront, la canne au poing, enfin commencer à vivre ?" »

« Devant ce miroir implacable, feu qui brûle mais aussi purifie et éclaire ta vie, demande-toi : "Si je devais confier ma destinée, ma fortune à un homme et à un seul, est-ce que cet homme, ce serait moi?

"Et si ce n'est pas moi, si je ne me fais pas suffisamment confiance pour me confier les rênes de ma propre destinée, qu'est-ce que j'attends pour devenir cet homme?"»

Pendant tout le temps qu'il avait déclamé cette tirade de sa voix magnétique, le millionnaire avait regardé le jeune homme dans les yeux. Ce dernier se sentait transpercé par son regard, irradié par l'énergie vibrante contenue dans ses questions.

«Crois-tu en toi? Avant d'entreprendre un projet, avant de te lancer dans une aventure nouvelle, sois bien certain que tu y crois à cent pour cent. Sinon, attends. Fais autre chose. Travaille à rendre parfaite ta foi. Façonne le portrait secret de ton âme. N'oublie pas que si tu plaçais n'importe quel millionnaire devant un miroir magique, qui va au-delà des apparences, ce que tu verrais d'abord, c'est le millionnaire intérieur. Car avant toute fortune, il y a eu la foi d'un homme qui croyait en lui, qui croyait en une idée, en un rêve, aussi fou qu'il ait pu sembler aux autres. Les circonstances extérieures, même difficiles, même contraires, ne sont rien : elles permettent simplement à l'homme de tester sa foi.

«Acquiers la compréhension véritable et accueille ces difficultés comme une bénédiction, ce qui ne veut pas dire qu'il faille les rechercher et que le succès soit difficile. Mais chaque étape de notre vie comporte des épreuves et des obstacles qu'on doit surmonter avant de passer à l'étape suivante. Chaque obstacle est comme la pierre que tu soulèves et qui développe tes muscles : tu as aussi des muscles moraux, qui sont invisibles, certes, mais permettent cependant les grandes réalisations. Repousser une difficulté, fuir devant un obstacle est une erreur : car chaque difficulté permet à l'homme de développer un aspect de sa personnalité, de corriger un défaut, en un mot de forger son caractère.

« Plus ton caractère s'affermit, plus tes pensées gagnent de la puissance. Devenant brillantes, ambitieuses et belles, elles émanent de tout ton être, elles irradient dans toutes les directions comme les rayons d'un soleil magnifique et vont de par le monde comme des messagers intrépides qui t'aident à accomplir tes projets, malgré des circonstances contraires. Si tu en doutes, pense à la belle formule d'Héraclite : "Caractère égale destinée." Seuls ceux qui ne voient pas la vie avec les yeux de l'esprit croient que les circonstances extérieures sont plus importantes que la volonté, la foi et l'imagination d'un homme, en d'autres mots : ses circonstances intérieures. Les circonstances extérieures peuvent ralentir un homme, c'est vrai, mais elles ne peuvent pas l'arrêter si brille en lui la foi véritable, qui voit ce qui n'est pas encore et le croit aussi réel que ce qui existe déjà. Atteins, comme les maîtres anciens, la véritable solidarité.

— La véritable solidarité ?

— Oui. La véritable solidarité.

— De quoi s'agit-il ?

— Sur son lit de mort, dit le millionnaire, le chef des Scythes appela auprès de lui ses fils. Il leur présenta un faisceau de flèches et les défia un à un de le briser. Malgré leur jeune âge et leur force, aucun n'y parvint. Il défit alors le faisceau et leur montra à quel point il était aisé de briser une à une les flèches. Il venait de leur démontrer qu'unis ils étaient invincibles, que séparés ils étaient faibles : tel est le secret de la solidarité. Il en est de même pour toi. Tant que ta pensée et ton action seront unies, tu réussiras : tu prospéreras. Mais dès que ta pensée et tes gestes seront en opposition, tes actions se briseront comme la flèche solitaire du chef des Scythes.

— Je vois, dit le jeune homme, qui avait été charmé par la poésie de cette histoire ancienne.

— Sois comme la rose, reprit le millionnaire. Elle ne se demande pas le matin : "Suis-je une rose ? Puis-je réussir à être une rose ?" Ne pensant pas, elle se contente d'être et se réalise parfaitement. Tel est son mérite, et tel est le mérite de tous ceux qui réussissent.

— C'est vraiment extraordinaire, dit le jeune homme, emballé. Je n'avais jamais pensé que réussir pouvait être si facile.

— Tu as peut-être trop écouté ceux qui n'ont pas réussi.

— C'est bien possible... admit le jeune homme en hochant la tête. Mais, dites-moi, je trouve tous les principes que vous venez d'exposer merveilleux, mais, en pratique, comment dois-je faire ?

— Combien serais-tu prêt à payer pour que je te l'enseigne ? »

La question étonna au plus haut point le jeune homme. Le millionnaire lui avait paru un homme généreux, qui disposait d'ailleurs de toute évidence d'une fortune si considérable que ce que son invité pourrait lui donner ne ferait sûrement aucune différence. Alors pourquoi lui demandait-il de l'argent, d'autant qu'il le savait sans le sou ?

5

Où le jeune homme fait un pari audacieux

«Même si je voulais vous donner de l'argent, je n'ai rien, je vous l'ai dit... avoua le jeune homme à son mentor.

— Mais si tu en avais, dit le millionnaire qui revenait à la charge, combien serais-tu prêt à payer? Avance un chiffre. N'importe lequel. Le premier qui te vient à l'esprit.

— Euh... je ne sais pas moi. Cent dollars?

— Oh, la, la! s'exclama le millionnaire. Nous avons du pain sur la planche! Viens, nous allons prendre le café au salon.»

Il l'entraîna dans la pièce voisine, un magnifique salon richement décoré de bustes, de statues, de toiles. Deux hiératiques lions de pierre protégeaient l'âtre d'un imposant foyer. Un feu y brûlait, jetant dans la pièce le bel éclat chaud de ses hautes flammes. Une impression de luxe et surtout de confort se dégageait de ce salon, que ne démentit pas le confortable canapé dans lequel le jeune homme prit place.

Le domestique servit le café, proposa de le parfumer de cognac, mais comme le millionnaire avait décliné son offre, le jeune homme préféra l'imiter : il lui semblait s'être déjà suffisamment déclassé à table!

«Bon, soyons sérieux, reprit le millionnaire qui posait sa tasse sur la belle table à café devant lui ; combien es-tu prêt à payer pour que je t'enseigne le secret de la richesse?

— Je vous ai dit que je n'avais pas un sou. Je ne peux rien faire.

— Depuis que le monde existe, les gens riches se servent de l'argent des autres pour s'enrichir.

— Je ne vais tout de même pas vous emprunter de l'argent!

— Tu peux me faire un chèque, je le déposerai seulement dans quelques mois, lorsque tu auras déjà gagné quelques dizaines de milliers de dollars...

— Un chèque...» murmura le jeune homme.

L'idée ne lui plaisait pas outre mesure. Pourtant, un peu comme s'il était hypnotisé par le millionnaire, il tira son chéquier de sa poche. Ce que voyant, le millionnaire s'empressa de lui tendre une jolie plume en or :

«Bon, nous sommes enfin en affaires. Inscris le montant que tu es prêt à payer...

— Je ne sais vraiment pas.

— Alors écris, disons... dix mille dollars.

— Dix mille dollars! s'exclama le jeune homme.

— Mets vingt mille si le montant te paraît dérisoire.

— Non, non, dix mille suffiront...»

Il balançait la plume au-dessus du chèque, hésitant.

«Fais-le payable au porteur», exigea le millionnaire.

«Au porteur», pensa le jeune homme et, comme un automate, il commença à le remplir. Il nota la date, le montant, mais, venu le moment de signer, il se rebiffa. Il se méfiait.

«Et si je ne parviens jamais à déposer suffisamment d'argent dans mon compte, mon gérant de banque va penser que je suis devenu fou en voyant arriver ce chèque de dix mille dollars.

« Si tu hésites, c'est que tu ne crois pas que la méthode que je vais t'enseigner fonctionne. Pourtant, il me semble qu'il te suffit de regarder autour de toi pour te convaincre...

« Je dois admettre en effet que...

« Alors peut-être ne crois-tu pas que TU peux réussir...

« Non, non... J'y crois...

« Alors tu ne devrais plus hésiter...

« Je n'ai jamais signé un chèque de ce montant.

« Quand tu seras devenu millionnaire, tu en signeras toutes les semaines et tu en signeras même de bien plus importants. »

Malgré cette conversation, le jeune homme demeurait réticent à signer le chèque. Il avait peur de se faire rouler. Il ne savait plus trop. Tout se passait trop vite.

Le millionnaire sentit son hésitation et ne voulut pas lui forcer la main. Ou il pensa à une autre astuce :

« J'ai quelque chose à te proposer. »

Il prit dans sa poche une pièce de vingt-cinq cents et la fit sauter dans le creux de sa main :

« Tirons à pile ou face. Si je perds, je te donne les vingt-cinq mille, ou plutôt les vingt-quatre mille dollars, que j'ai sur moi. Si je gagne, tu me signes ce chèque, que je dépose dès que tu pourras le couvrir. »

Vingt-cinq mille dollars! C'était plus que ce que le jeune homme gagnait en une année de pénible travail! Vingt-cinq mille dollars qu'il pouvait faire en un clin d'œil, simplement en prenant un risque, qui du reste n'était pas très grand : s'il ne faisait pas fortune grâce aux conseils du millionnaire, ce dernier ne pourrait jamais déposer le chèque extravagant qu'il lui aurait signé.

« J'accepte.

— Bon, enfin un peu d'audace.

— Vérifions si la fortune appartient aux audacieux, dit le jeune homme.

— Tu choisis? demanda le millionnaire.

— Pile. »

Le millionnaire esquissa un sourire, plaça la pièce sur l'ongle de son pouce droit, la regarda un instant, concentré, et enfin la projeta dans les airs, au-dessus de la table à café.

Le jeune homme, le cœur battant, la regarda tournoyer. Vingt-cinq mille! Il gagnerait peut-être vingt-cinq mille dollars! Jamais de sa vie il n'avait eu l'occasion – ni même le désir ou l'idée – de gagner pareille somme en si peu de temps. Il lui sembla que la pièce de monnaie restait d'interminables secondes dans les airs, puis mettait une éternité à s'immobiliser sur la table.

« Face! décréta le millionnaire sans triomphalisme. Je suis désolé. »

Dire que le jeune homme l'était lui aussi aurait été un euphémisme. Jamais de sa vie il n'était passé aussi proche de gagner vingt-cinq mille dollars. Et un instant il s'était imaginé que la chance lui sourirait, qu'il l'emporterait.

À regret, le jeune homme signa le chèque et le remit au millionnaire.

« Maintenant, dit-il avec une certaine exaspération, est-ce que vous pouvez m'enseigner vos secrets? »

6

Où le jeune homme apprend à jouer avec les chiffres

« Est-ce que tu as une feuille de papier sur toi ?

— Une feuille de papier ?

— Oui. Une simple feuille de papier. La formule la plus importante de la physique tient en quelques lettres, E=MC2. Je ne vois pas pourquoi il faudrait plus d'espace pour la formule du succès.

— Oui, en effet. Mais, je… je suis désolé, je n'ai pas de papier sur moi… dit le jeune homme en touchant instinctivement ses poches.

— Mais tu n'avais pas une lettre de recommandation ?

— Euh… oui, en effet », dit le jeune homme.

Décidément, le millionnaire pensait à tout ! Le jeune homme tira la lettre de sa poche et la lui tendit :

« Non, non, garde-la. Tu vas en avoir besoin.

— Ah bon, je ne suis pas sûr de comprendre…

— Ce ne sera pas long, tu vas voir. Mais avant, j'aimerais que tu me fasses une promesse.

— Une promesse ? Laquelle ?

— Tu sais, beaucoup de gens veulent faire fortune, mais ils confondent la fin et les moyens. Il ne faut pas gagner de l'argent simplement pour devenir riche. À la base de toute fortune, il y a en général la volonté de procurer au plus grand nombre possible d'individus le meilleur service ou le meilleur produit au meilleur prix.

En d'autres mots, ceux qui font le plus d'argent sont ceux qui aident le plus les autres. Au fond, la richesse n'est que la mesure d'une reconnaissance : celle du service rendu par un individu à une communauté. Si Bill Gates est devenu riche, c'est sans doute parce qu'il est ambitieux et génial, mais c'est aussi parce qu'il avait une vision : il voulait offrir à des millions d'Américains un produit informatique nouveau qui transformerait leur vie. Jeune, j'étais très pauvre et j'en ai beaucoup souffert. Je n'ai eu pour toute éducation que celle que je me suis donnée. Pourtant, je m'en suis assez bien sorti, dit-il en jetant autour de lui un vague regard circulaire. Nombre de mes camarades n'ont pas eu la même chance que moi. Privés d'éducation, beaucoup ont dû se contenter de renoncer au métier qu'ils auraient aimé exercer ou même ont mal tourné : ils n'ont pas pu exprimer tout leur potentiel. On rapporte dans les journaux tous les meurtres qui se commettent chaque année en Amérique. Mais on oublie de rapporter des milliers d'autres meurtres : ceux qu'on commet tous les jours en tuant les espoirs d'un enfant, en lui coupant les ailes avant même qu'il puisse s'envoler. Prends le jeune prodige du golf, Tiger Woods, par exemple. Il a du talent, c'est évident. Mais il a surtout eu la chance d'être le héros de son père, qui croyait en lui et voulait en faire le plus grand joueur du monde. Jeune, je me suis juré qu'une fois devenu riche je mettrais tout en œuvre pour tenter de rétablir un peu la justice en donnant une deuxième chance au plus grand nombre d'enfants possible.»

Une pause, puis le millionnaire reprit :

«Avant de te révéler ce qui a fait ma fortune, je veux que tu me promettes de ne pas utiliser mes secrets dans un but égoïste ou mauvais.

— Oui, je vous le promets», dit le jeune homme sans vraiment mesurer l'importance de ce serment : de toute manière, il n'était pas encore riche, alors il avait tout le temps devant lui.

Le millionnaire poursuivait :

«Certains veulent faire fortune par simple soif de pouvoir : ils m'inspirent la pitié. Ils sont plus pauvres que le plus pauvre des hommes. Au lieu de partager leurs richesses, ils tentent d'en accumuler toujours plus pour combler leur vide intérieur. Il faut être vigilant. Bon serviteur, l'argent est un tyran déplorable. John Rockefeller qui, de son vivant, a été l'homme le plus riche du monde, était si écrasé par ses soucis qu'à l'âge de cinquante ans il était déjà un vieillard. L'estomac mal en point, il ne pouvait plus se nourrir que de pain et de lait ! Immensément riche, il était plus pauvre que le plus modeste de ses employés qui pouvait jouir de la vie en dégustant un bon repas ! Comme dit le proverbe : "Que sert à l'homme de gagner l'univers s'il en vient à perdre son âme ?" Lorsque tu seras devenu riche, je souhaite que ta main ne se referme pas égoïstement mais plutôt qu'elle reste ouverte à ceux qui ont eu moins de chance. Je souhaite aussi que, une fois ta fortune assurée, tu répandes ces secrets en faisant le récit de cette rencontre. C'est pour cette raison, je crois, que tu es ici. Chacun a une mission sur terre. La tienne est de transmettre l'enseignement que je t'aurai confié.

— Je le ferai, je vous le promets, dit le jeune homme, à la fois surpris et ému par les exigences du millionnaire.

— En agissant ainsi, nous établissons une chaîne d'or à travers les âges : lorsque chaque homme fera le serment d'aider un autre homme, bientôt plus personne sur terre ne sera dans le besoin. Es-tu prêt?

— Oui.

— Bon, tu vas voir, c'est simple, j'ai toujours été partisan de la simplicité. Lorsqu'un de mes directeurs me remettait un long rapport sur la situation d'une de mes compagnies, je savais qu'il n'avait pas bien travaillé et je lui demandais de me revenir avec un rapport d'*une seule page*. Voici une plume. Et voici la première question.

— La question? Je pensais que ce serait vous qui m'enseigneriez.

— On n'apprend bien que ce qu'on comprend vraiment. Et on ne comprend vraiment que ce qu'on découvre ou redécouvre par soi-même; et la meilleure manière d'y arriver consiste en une sorte de maïeutique, une série de questions qui conduisent à la vérité.

— Je vois que même si vous n'êtes pas allé à l'école vous connaissez Socrate?

— Je vois que tu le connais, toi aussi. J'en suis enchanté et je t'en félicite. Bon. Passons aux choses sérieuses, maintenant. Voici donc la première question. Combien aimerais-tu gagner d'argent cette année? Inscris le montant. »

Le jeune homme ne voyait pas trop où le millionnaire voulait en venir, mais le jeu l'amusait. Il réfléchit à voix haute :

— Euh… je ne sais pas, un million.

— Un million, d'accord. C'est un début. Écris un million. »

Le jeune homme nota le chiffre magique et en vérifia minutieusement le nombre de zéros : six.

« Maintenant, dit le millionnaire, la deuxième question : combien penses-tu pouvoir gagner cette année ?

— Je vous l'ai dit : un million.

— Non : pas combien tu *voudrais* gagner, combien tu *crois pouvoir* gagner.

— Je vois, dit le jeune homme, qui avait répondu un peu vite. C'est différent, en effet. Je ne sais pas. Peut-être... disons : quarante mille.

— Quarante mille ! s'exclama le millionnaire. Oh la, la ! nous avons du pain sur la planche. »

Le jeune homme paraissait embarrassé, comme s'il avait commis une énorme bourde.

« Mais c'est tout de même un départ. J'aurais préféré un zéro de plus, soit quatre cent mille. Il va falloir travailler davantage. Mais rassure-toi. Ce ne sera pas un travail fatigant. Pourtant, ce sera peut-être le travail le plus important que tu accompliras jamais : le travail sur toi.

— Je ne suis pas sûr de comprendre.

— En inscrivant quarante mille, c'est une radioscopie de ton portrait intérieur que tu as faite. Tu as révélé l'image que tu avais de toi, du moins en ce qui concerne le travail. À tes yeux, sur le marché du travail, tu vaux quarante mille dollars par année. Pas un sou de plus. C'est pour ainsi dire ta limite mentale. Je te ferais d'ailleurs remarquer que c'est toi qui te l'es imposée.

— Il faut quand même que je sois réaliste. Je ne vois vraiment pas comment, à l'heure actuelle, je pourrais gagner davantage.

— Tous les jours, il y a des centaines, que dis-je, des milliers d'occasions qui se présentent. Elles te passent littéralement sous le nez. Mais tu ne les vois pas. Tout simplement parce que ton attention est fixée ailleurs :

sur un travail que tu n'aimes pas, sur les frustrations qu'il provoque en toi. Il faut d'abord que tu accomplisses une révolution intérieure. N'aie pas peur de tes désirs profonds, même les plus fous. Respecte-les : ils sont la promesse de ce que tu peux devenir, ils sont la boule de cristal dans laquelle tu peux lire ton avenir. Lorsque tu nies tes désirs, tu te nies toi-même.

«Au lieu de penser tout le jour : "Mon travail m'ennuie, mon patron est injuste avec moi", dis-toi : "Dans trois mois, dans trois semaines, dans trois jours, j'aurai le travail idéal. J'élèverai mon esprit, et mes désirs auront la puissance d'un décret, et je concevrai une situation idéale, et, l'ayant conçue, parce que ma pensée est juste et puissante, ce que j'ai engendré avec l'œil de l'esprit se réalisera dans la beauté de l'idéal. Les circonstances s'ajusteront à cette conception puissante et claire de mon esprit. Alors, irrésistiblement, je serai attiré vers une autre sphère d'existence, j'évoluerai dans un domaine plus parfait et plus noble, qui correspond à mes véritables aspirations, que je n'aurai pas eu peur d'exprimer et qui auront remplacé mes plaintes, mes craintes, lesquelles jusqu'à présent n'ont fait qu'engendrer, attirer d'autres plaintes, d'autres craintes.

«"Dans cette sphère nouvelle et lumineuse, je pourrai m'épanouir davantage et même, à ma propre surprise, je comprendrai que mes frustrations actuelles étaient belles et bonnes et nécessaires parce qu'elles m'ont permis de vouloir me surpasser, parce qu'elles ont aiguillonné mon désir. Maintenant que je suis conscient de ces choses, que je les sais vraies, pendant le temps où j'occupe encore la position que j'occupe dans la vie, je ne perds pas une once de ma précieuse énergie mentale à me plaindre de mon sort. Je visualise ce que je veux obtenir, je me réjouis de le sentir si près de ma main que je peux presque y toucher : je fais comme si je l'avais déjà obtenu. Car je sais que ce que je désire vraiment, ce que je crois possible, existe réellement, qu'il peut même se réaliser très rapidement, presque automatiquement, si ma foi est puissante. Ce que je désire, je le vois non pas comme une simple vue de l'esprit, mais comme une réalité, car l'esprit est la réalité ultime." C'est même, tu le comprendras un jour, la seule réalité. »

Le jeune homme n'était pas sûr de comprendre tout le raisonnement du vieil homme, mais son exaltation l'avait ému.

Pourtant, une objection s'était élevée dans son esprit :

« Mais je n'ai pas de diplôme. »

Le millionnaire mit du temps à apaiser le rire homérique qui le secoua.

« *Welcome to the club* ! Elle est bonne celle-là. Elle est bien bonne. Moi non plus, je n'ai pas de diplôme. Et franchement, c'est peut-être pour cette raison que j'ai fait fortune. Un diplôme est une bonne chose, ça peut ouvrir des portes dans le monde, mais ça peut aussi en fermer dans l'esprit. Tu peux te reposer sur tes lauriers parce que tu as un diplôme. Quand tu n'en as pas, tu sais que tu dois tout à ton initiative et à ton talent.

— Je n'ai pas un sou en banque, continua de protester le jeune homme. Je viens même de vous signer un chèque de dix mille dollars !

— Le manque d'argent devrait être le dernier de tes soucis. Ce qui compte, c'est ta force intérieure, la claire puissance de ton rêve. Allons, reprenons notre petit exercice. Est-ce que le montant de quarante mille dollars est le premier qui t'est venu à l'esprit ?

— Euh... non, avoua le jeune homme. C'était plutôt soixante mille.

— C'était déjà un peu mieux. Mais pourquoi ne l'as-tu pas noté ?

— Il me semblait inaccessible.

— Pourquoi ? Pourquoi ne pourrais-tu pas gagner soixante mille dollars en une année alors qu'il y a des gens qui gagnent cela en un mois ? Allez, fais un petit effort d'imagination. Et commence à te représenter que tu pourrais fort bien être quelqu'un qui fait soixante mille, cent mille dollars par année. Il est capital que tu élargisses ainsi ta limite mentale intérieure. Parce que si tu te vois comme quelqu'un qui ne gagne que quarante mille dollars par année, tu attireras probablement des circonstances qui se plieront à cette croyance et tu ne deviendras jamais millionnaire. Si au contraire tu élargis ton horizon mental, si tu te convaincs que tu peux gagner cent mille ou même deux cent mille par année, tes perspectives changeront automatiquement. Tu attireras des circonstances nouvelles, tu seras mis en présence de gens et d'occasions qui s'ajusteront à ta nouvelle vision intérieure. Le travail qui t'est proposé mais qui ne peut te rapporter que quarante mille, tu le refuseras : tu attireras celui qui peut te rapporter plus, et qui surtout te permettra de te réaliser davantage, d'exprimer tous tes talents. Si tu n'es pas dans un domaine où les perspectives sont brillantes, un *hasard* heureux te permettra d'en sortir, et tu te retrouveras dans un domaine où tout est plus facile, tout est plus abondant. Car l'abondance existe : seulement, il faut que ton esprit s'ouvre à elle, que tu vibres à son diapason et que tu refuses toute pensée d'indigence. Alors des occasions incroyables jailliront. L'argent affluera. Tu auras l'impression qu'il vient d'une source intarissable. Tu te demanderas seulement où tu étais quelques jours avant alors que tes perspectives te paraissaient nulles. Tu étais au même endroit, et les occasions étaient là, dans une sorte d'univers parallèle dans lequel vivent tous les millionnaires : tu comprendras que tu viens d'y entrer grâce à la révolution de ton esprit. N'oublie pas ce que je t'ai dit : en chaque millionnaire que tu rencontres, il y a d'abord eu un millionnaire intérieur. Et le millionnaire intérieur ne se contente pas de croire qu'il gagnera quarante mille dollars par année. Il voit grand. Il ne croit pas à ce que les autres appellent le réalisme et qui n'a jamais permis de grandes réalisations ou de grandes fortunes. Il rêve, avec les pieds sur terre, sans doute, mais il rêve : il a raison. À toi de rêver un peu maintenant ! Allez, un nouvel effort : je veux un chiffre plus audacieux ! Combien crois-tu pouvoir gagner l'année prochaine ? »

Après un instant de réflexion, le jeune homme nota enfin un montant mais, pris d'une pudeur subite – ou de la crainte du ridicule –, il ne le montra pas tout de suite au millionnaire. Ce dernier lui ôta la feuille et lut à haute voix :

« Quatre-vingt mille dollars ! Félicitations ! Au début tu pensais à quarante mille. Tu as doublé.

— Ils ne sont pas encore gagnés, ces quatre-vingt mille dollars !

— Mais c'est le premier pas : il est nécessaire à tous les autres. Si tu ne le franchis pas, tu n'arriveras à rien. Maintenant, il faut y croire, il faut que cette certitude devienne aussi banale dans ton esprit que le lever quotidien du soleil. Il faut que ce soit aussi évident de gagner quatre-vingt mille que ce l'est justement pour la personne qui les gagne depuis cinq ans.

— Mais pourquoi fixer un montant précis ? Pourquoi ne pas me contenter de dire que je ferai davantage ?

— Parce que ce montant va devenir ton objectif. Et pour qu'un objectif fonctionne, il faut qu'il soit précis, qu'il comporte un montant et un délai pour l'atteindre. Imagine, par exemple, qu'on t'offre un emploi. Au moment de t'informer de ton salaire, ton employeur, au lieu de te dire que tu gagneras soixante-quinze mille par année, te dit que tu feras un *très bon* salaire. Comment réagiras-tu ?

— Je vais lui demander des précisions, je vais lui demander ce qu'il entend par *très bon* salaire.

— Et s'il ne te donne pas de précisions...

— Je ne le croirai pas ou je penserai qu'il ment.

— Et tu n'accepteras probablement pas le travail.

— Non.

— Eh bien, ton génie intérieur, que certains appellent aussi le subconscient et qui régit, sans que tu t'en rendes compte, une large partie de ta vie, va réagir exactement comme toi si tu prends un objectif flou comme : "Je ferai plus d'argent l'année prochaine." Ton génie intérieur veut de la précision : il veut un montant et aussi un délai pour l'atteindre. Alors il pourra déployer toutes ses forces et tu seras étonné de ses accomplissements. Il est à ton service, mais tu dois savoir comment le guider, autrement sa puissance pourrait se retourner contre toi.

— Mais comment puis-je le guider avec sûreté, avec certitude surtout, de manière que sa puissance ne se retourne pas contre moi ?

— C'est une bonne question. C'est une très bonne question. »

Il allait y répondre lorsque le vieux domestique entra dans le salon :

« Je termine mon service dans quelques minutes et je me demandais si monsieur avait besoin de quelque chose.

— Dis au chauffeur de préparer la voiture. Nous allons faire une balade. »

7

Où le jeune homme découvre la puissance des mots

C'était la première balade du jeune homme en Rolls Royce, et il en éprouvait des sentiments partagés : impressionné par le simple fait de monter dans une voiture si prestigieuse, il ressentait aussi un certain malaise. Quel contraste avec sa vieille Mustang, qu'il n'avait d'ailleurs pu s'empêcher de regarder du coin de l'œil en sortant du domaine du millionnaire !

Il avait pris place avec l'excentrique jardinier sur la banquette arrière, dont il caressait discrètement le cuir d'une qualité exceptionnelle : on aurait dit la peau satinée d'une femme !

Ils arrivèrent bientôt à New York et longèrent la très chic Cinquième Avenue. Même si New York est la ville des longues limousines noires dans lesquelles se déplace invariablement tout homme important – ou tout homme qui se croit important ! – une Rolls Royce n'y passe pas inaperçue.

Le jeune homme ne tarda pas à le constater, surtout lorsque la luxueuse voiture du millionnaire s'arrêtait à un feu rouge. Des piétons qui traversaient la rue, qui attendaient l'autobus, regardaient à l'intérieur de la Rolls, pour voir la tête de ses passagers. Le jeune homme en éprouvait malgré lui une certaine fierté.

«Comment te sens-tu? demanda le millionnaire.

— Bien. Très bien même.

— Il y a sûrement une petite partie de toi qui est flattée parce que tu roules en Rolls, n'est-ce pas?

— Euh, oui, je l'admets; tous ces gens qui me regardent comme si j'étais quelqu'un d'important.

— Et, pourtant, tu n'es pas propriétaire d'une Rolls, enfin pas encore.

— Non.

— Tu réagis exactement comme ton génie intérieur. Lui non plus ne fait pas vraiment la différence entre ce qui est vrai et ce qui est faux. Si chaque soir en te couchant, chaque matin en te levant, tu te répètes des dizaines et des dizaines de fois à voix haute, pour mieux te convaincre, la célèbre formule d'Émile Coué : "De jour en jour, à tout point de vue, je vais de mieux en mieux." ou encore : "De jour en jour, je suis de plus en plus heureux, riche, confiant et en santé", ton génie intérieur va se laisser influencer à coup sûr. Comme l'enfant se laisse influencer par son père qui le décourage en lui disant : "Tu ne réussiras pas. Tu ne vaux rien, comme ta mère!" Ces formules sont évidemment sans fondement, et pourtant le génie intérieur de l'enfant les adopte : il en fait même un véritable dogme, d'autant plus puissant qu'il est inconscient. Une fois devenu adulte, l'enfant croira profondément qu'il ne vaut rien, même s'il ne l'avoue pas, même s'il prétend le contraire. Sans s'en rendre compte, il attirera constamment dans sa vie des événements et des êtres qui confirmeront sa croyance. Si cet enfant pouvait se tenir devant le miroir magique dont je t'ai parlé tout à l'heure, il verrait que sur son front, même magnifique, est gravée cette malheureuse condamnation, cette terrible prophétie : "Je ne vaux rien !" La Vie, les événements, les gens même semblent pouvoir lire cette inscription invisible et s'y conforment comme malgré eux.

« Pour ton génie intérieur, il n'y a pas de différence entre ta condition actuelle et les merveilleuses formules magiques dont tu le nourris. Car il s'agit véritablement de formules magiques. Chaque homme est en effet le magicien de sa propre vie. Il fait de la magie blanche lorsqu'il emploie des formules bénéfiques et de la magie noire lorsque, sans le savoir, il se jette des sorts ou laisse les autres lui en jeter. Penses-y... Utilise toute la puissance qui est en toi, cesse de la laisser dormir. L'homme de la Bible qui, par crainte de les perdre, enterra ses talents au lieu de les faire prospérer, ressemble à tous les hommes qui n'utilisent pas leurs immenses pouvoirs intérieurs. Aussi passent-ils à côté de la vie, comme des somnambules. Réveille ta puissance, mets-la à tes ordres ! Alors, infailliblement, tu réussiras : tu deviendras millionnaire, si tu agis et penses comme si tu l'étais déjà. Ton génie intérieur va se laisser duper, comme ces passants qui te regardent avec une curiosité pleine de respect et croient que tu es riche.

— Honnêtement, ça me paraît trop beau pour être vrai.

— Trop beau pour être vrai ! dit le millionnaire en haussant le ton comme s'il était choqué. Est-ce que tu te rends compte de ce que tu viens de dire ? Pourquoi ce qui est beau ne devrait-il pas être vrai ? Quel pessimisme est caché dans ces simples mots ! Si tu ne crois pas en ton rêve, si tu ne crois pas que tu as droit à ce qu'il y a de plus beau dans la vie, tu ferais mieux de descendre tout de suite de cette Rolls, de rentrer chez toi à pied et de passer le reste de ta vie à effectuer un travail que tu détestes !

— Je... balbutia le jeune homme en rougissant, je disais ça comme ça.

— Eh bien, il faut justement que tu cesses de dire des choses comme ça. Je viens de t'expliquer à quel point les mots étaient importants... Trop beau pour être vrai... » répéta le millionnaire, comme dégoûté. Il fit alors descendre la paroi vitrée qui le séparait de son chauffeur, à qui il demanda :

« Si vous voulez bien vous arrêter... »

Le jeune homme trembla. Excédé, le millionnaire lui signifiait son congé !

« Descends... »

Le jeune homme obéit, déçu et honteux. Mais le millionnaire le suivit aussitôt sur le trottoir.

« Regarde bien, dit le millionnaire, je vais tenter une petite expérience devant tes yeux. »

Il fouilla dans sa poche, en tira un billet de mille dollars et accosta le premier passant qui venait dans sa direction, un homme d'affaires aux traits tirés :

« Monsieur, vous avez été choisi par le destin pour recevoir la somme de mille dollars. »

L'homme le regarda, éberlué, inquiet aussi, et hocha la tête pour lui indiquer qu'il n'avait pas le temps : comme tout homme d'affaires qui se respecte, il était pressé. Le millionnaire n'insista pas, mais ne se découragea pas non plus. Il accosta le passant suivant, un autre homme d'affaires, qui avait assisté au manège et ne parut même pas voir le billet de mille dollars que le millionnaire lui tendait sous le nez. Il repoussa en ces termes le don inhabituel qu'on lui proposait :

« Je n'encourage pas l'ivrognerie ! Foutez-moi la paix ! » dit-il machinalement.

La limousine du millionnaire s'était arrêtée devant la célèbre bijouterie *Tiffany's*. Une cliente en sortit. Le millionnaire lui fit, à elle aussi, son étonnante proposition. La cliente, qui croulait sous les paquets, craignit que le millionnaire n'utilisât cette astuce pour endormir sa méfiance.

« S'il vous plaît, je suis pressée... »

Elle s'éloigna. Le garde de sécurité de la bijouterie avait assisté à la scène. Il s'avança, l'air contrarié, et dit d'une voix menaçante :

« Circulez, s'il vous plaît. Ne restez pas devant notre porte, sinon je vais devoir appeler la police. »

Le millionnaire exhiba le billet de mille dollars :

« Je voulais simplement donner mille dollars à madame.

— Et moi, je vais vous donner un coup de pied au derrière si vous ne disparaissez pas tout de suite.

— C'est très bien, c'est très bien, j'ai compris. »

Un petit garçon qui avait l'air d'avoir sept ou huit ans mais qui en réalité en avait douze – il était Mexicain ! – avait assisté à la scène et, attiré par la vue de l'argent, s'était approché d'un pas rapide :

« Moi, monsieur, est-ce que je peux en avoir, de l'argent ?

— Mais oui », dit le millionnaire, enchanté.

Et il lui remit le billet. Lorsque le garçonnet vit qu'il s'agissait d'une coupure de mille dollars, ses yeux s'écarquillèrent, sa bouche s'arrondit :

« Oh ! est-ce que je pourrais en avoir un autre, s'il vous plaît ? C'est pour ma mère.

— Mais bien sûr», se contenta de dire le millionnaire, ému par la naïveté du garçon.

Il lui remit une autre coupure. Le jeune garçon
exultait :

«Je vous remercie beaucoup, dit-il avant de tourner
les talons et de s'éloigner en courant, enchanté par son
gain inattendu.

— Ce sont de vrais billets? demanda le gardien de la
bijouterie. Je ne savais pas... Est-ce que je peux vous en
demander un moi aussi?

— Non, désolé, dit le millionnaire, il est trop tard.»

Si le gardien n'était pas certain que le millionnaire
disait la vérité, il le fut lorsqu'il le vit s'engouffrer dans la
limousine avec le jeune homme. Il paraissait atterré.

«Trois personnes, dit le millionnaire. Trois personnes qui ont cru que c'était trop beau pour être vrai,
qu'il y avait une attrape.

— Incroyable! dit le jeune homme.

— La seule personne qui a été assez opportuniste
pour accepter mon argent, c'est ce jeune Mexicain. Pour
réussir, je te l'affirme, il faut que tu aies la naïveté, l'inno-
cence de cet enfant. Si tu l'as perdue, il faut que tu la
retrouves.»

Il se tut un instant puis ajouta :

«Un jour, un des disciples du philosophe Plotin –
lui-même disciple mystique de Platon – lui demanda s'il
accepterait qu'on fît de lui un portrait. Le maître le
rabroua. Comme son disciple s'étonnait de son refus, il
expliqua : "Pourquoi laisser à la postérité l'image d'une
image?"

«Adepte de la réincarnation, il considérait le corps
comme une simple image, un simple véhicule de l'âme.

Je sais bien que je suis habillé en haillons mais sur le trottoir, tout à l'heure, ces hommes d'affaires, cette dame fortunée ont fait la même erreur que le disciple de Plotin. Ils m'ont vu avec les yeux de leurs préjugés sociaux. Pas un seul instant, ils n'ont cru que je pouvais vraiment avoir de l'argent et que j'étais assez fou pour leur en donner. C'était trop différent de leur vision habituelle de la vie, de leurs conceptions, de leurs limites mentales. Ils ont pensé à une escroquerie ou à un coup monté pour la télé. En réalité, ils se sont dit comme toi : "C'est trop beau pour être vrai !"

— Je vois, dit le jeune homme. il faut se méfier de nos idées préconçues et des apparences. »

Le millionnaire acquiesça mais ajouta, en pointant le doigt vers eux :

« Ce qui ne signifie pas que tu ne devrais pas changer de souliers dès demain.

— De souliers ?

— Oui. Et tu devrais aussi t'acheter un costume décent. Je suis vieux et riche. Je peux m'habiller comme un pauvre. Toi, tu es jeune et pauvre : si tu veux devenir riche, tu ne dois pas t'habiller comme un pauvre. Tu dois jouer le jeu. Dans le monde des affaires, et même dans le monde en général, on juge les gens à partir de la première impression. Celle-ci vient en bonne partie de l'aura, c'est-à-dire de ce que l'âme dégage, mais elle vient aussi des vêtements. Ne prends pas de chance, surtout avec les souliers, qui souvent trahissent la situation véritable d'un homme. Tu ne dois pas t'habiller comme quelqu'un qui veut réussir mais comme quelqu'un qui a déjà réussi. C'est triste à dire mais, de même qu'on ne prête qu'aux riches, on ne veut faire affaire qu'avec ceux qui semblent réussir et avoir de la chance. Investis dans ta garde-robe, même si tu dois emprunter pour cela. Tu récupéreras rapidement ton investissement. Investis aussi dans ce vêtement de la pensée qu'est la parole. Apprends à parler en public. Au lieu de dépenser de l'argent dans les bars, investis quelques dollars dans un cours d'expression orale. La parole est une épée qui te fera remporter bien des victoires.

— J'en prends bonne note », dit le jeune homme, qui regardait un peu honteusement ses souliers élimés.

Il demeura un instant silencieux, profitant du confort de cette balade en Rolls et réfléchissant à tout ce que le millionnaire venait de lui exposer. Une interrogation revenait de manière insistante dans son esprit. Il osa la formuler :

« Je dois avouer que je reste un peu sceptique lorsque vous affirmez que les mots ont une telle influence dans nos vies...

— Notre ami ne croit pas que les mots aient une grande influence sur sa vie », dit le millionnaire à son chauffeur.

Le chauffeur eut un sourire entendu et ajusta sa casquette.

« Ce sont des choses qui arrivent », se contenta-t-il de dire.

Il démarra et reprit la route. Tout à coup, son expression se modifia. Il semblait avoir aperçu quelque chose dans son rétroviseur et en paraissait atterré.

« Que se passe-t-il ? demanda le millionnaire.

— C'est le maniaque qui a voulu nous tuer la semaine dernière ! Il nous a retrouvés. Il est dans la voiture derrière nous.

— Hein? Quoi? demanda le jeune homme, qui n'était pas certain de comprendre la situation.

— Accélère!» ordonna le millionnaire à son chauffeur.

Le chauffeur obtempéra, et la Rolls fonça, mais elle était ralentie par l'encombrement naturel d'une fin de journée dans une grande ville. Le jeune homme se tourna, regarda par la lunette arrière de la Rolls et vit effectivement, juste derrière eux, un conducteur dont les lunettes noires ne faisaient qu'accentuer la sinistre mine. Son cœur se mit à battre. Il avait assisté à mille poursuites au cinéma, mais là, ce n'était plus de la fiction : c'était pour vrai, et il était la proie! Pâle comme un drap, le jeune homme se tourna vers le vieux jardinier, qui ne paraissait pas aussi calme que d'habitude.

«Qu'est-ce qu'il vous veut?

— Il veut me tuer, avec tous mes héritiers et toutes les personnes qu'il me soupçonne de vouloir avantager.»

Donc peut-être moi! ne put s'empêcher de penser le jeune homme avec un égoïsme bien compréhensible.

«C'est un fou, poursuivit le vieil homme. Il croit que je l'ai couché sur mon testament.

— Mais il faut faire quelque chose! protesta le jeune homme. On ne peut pas le laisser ainsi nous éliminer sous prétexte qu'il veut hériter de vous! Appelez la police, je vous en prie.»

Le millionnaire décrocha son téléphone cellulaire, mais poussa bientôt un soupir de découragement :

«Je ne peux pas obtenir de ligne. Le système est surchargé.

— C'est impossible, dit le jeune homme.

— Il approche, prévint le chauffeur, qui paraissait affolé. Qu'est-ce que je fais ?

— Essayons de le semer, proposa le millionnaire. Tourne ici. »

Le chauffeur fit un brusque virage à droite qui bouscula ses deux passagers. Le cœur du jeune homme bondit dans sa poitrine. Il n'avait jamais vécu pareille aventure !

« Il est encore derrière nous, annonça le chauffeur, qui venait de jeter un coup d'œil dans son rétroviseur.

— Tourne dans une ruelle, il faut absolument le distancer. »

Le chauffeur obéit, mais au lieu de tourner dans une ruelle, il se retrouva dans un cul-de-sac. Lorsque le jeune homme vit le mur de brique qui, à une centaine de pieds devant eux, interdisait toute fuite, il fut consterné.

« Qu'est-ce que nous allons faire ? » dit-il affolé.

Le millionnaire répliqua fort calmement :

« Rien.

— Comment rien ?

— Rien. Nous allons rentrer tranquillement à la maison. »

Le jeune homme crut que le millionnaire avait perdu la tête – ou la mémoire. Ou les deux à la fois.

« Et le fou qui est à nos trousses ?

— Le fou ? Il n'y a jamais eu de fou, expliqua le millionnaire. C'est une pure invention.

— Vous vous êtes payé ma tête ?

— Oui. J'ai voulu te donner une leçon de philosophie accélérée, expliqua le millionnaire. La théorie n'est pas sans valeur, mais l'expérience est plus efficace. Des mots, de simples mots inventés ont fait palpiter ton cœur, t'ont donné des sueurs froides, t'ont mis dans tous tes états. Doutes-tu maintenant de leur puissance dans ta vie ? Doutes-tu de leur influence sur ton génie intérieur ? »

Encore sceptique, le jeune homme regarda le chauffeur. Ce dernier esquissa un sourire, eut un haussement de sourcils : ce que disait le millionnaire était la plus stricte vérité. Il avait été son complice amusé !

« Je crois que je commence à comprendre.

— Bien, dit le millionnaire. Très bien. J'espère qu'à l'avenir tu apporteras une attention très particulière aux mots : à ceux que tu prononces, à ceux que tu entends et à ceux que tu te répètes tout au long de la journée. Il ne serait d'ailleurs pas mauvais que tu fasses un jour une sorte de portrait, de portrait instantané de tes pensées. Que penses-tu tout le jour ? De quoi se composent tes rêveries ? Sont-elles défaitistes, pessimistes, résignées ? Sont-elles optimistes, amoureuses, glorieuses ? Ne néglige pas cette partie de toi : tes pensées ! Car elles déterminent toute ta vie. Elles sont le miroir de demain. »

8

Où le jeune homme comprend le sens de la foi

Comme il se faisait tard, le millionnaire offrit au jeune homme de l'héberger. Ce dernier accepta avec empressement. Il n'avait jamais dormi dans une résidence aussi princière et, en outre, il aurait la chance de poser au millionnaire davantage de questions, car il n'était pas certain d'avoir saisi tous les principes que le vieil homme lui avait exposés. Et puis, tout simplement, il était déjà attaché à lui.

Comme s'il était un ami.

Le seul véritable ami qu'il eût jamais eu.

Ou un père.

La nuit, dit-on, porte conseil.

Elle lui apporta plutôt un songe dont la clé lui échappa.

Il marchait dans la somptueuse salle à manger du millionnaire : il s'arrêta devant une des grandes glaces murales. Penché vers elle, il n'y vit rien : il se troubla.

Il pensa qu'il était mort.

Il raisonnait avec une logique nouvelle, celle de la nuit : un homme sans image était un homme sans vie.

Il éleva une protestation intérieure : il ne pouvait avoir trépassé.

Il entendit alors derrière lui la voix rassurante du millionnaire qui disait :

« C'est un miroir magique ! Tu peux y voir l'image que tu as de toi-même...

— Hein ? Comment ? interrogea le jeune homme, qui se tournait à gauche et à droite mais ne pouvait apercevoir le millionnaire.

— Mais il faut que tu te concentres... »

Il se concentra. Le rêve est un amplificateur. Des gouttes de sueur perlèrent sur ses tempes. Elles étaient rouges : c'était du sang ! Ce phénomène étonnant ne le distrayait pas de sa concentration.

Enfin il vit une image floue se dessiner devant lui. Il y avait des barreaux dorés : c'étaient ceux d'une cage au fond de laquelle se trouvait un enfant. Il était allongé dans un lit minuscule et paraissait souffrant.

Une pensée vint au jeune homme : ce n'était pas un enfant mais un nain.

Il sentit une présence derrière lui. Il se retourna : c'était le millionnaire, son éternel sourire aux lèvres.

« Et puis, demanda-t-il, sais-tu de qui il s'agit ?

— Non », lui répondit le jeune homme.

Il pensa le demander au millionnaire, mais il rêvait : il n'avait pas de suite dans les idées et il oublia sa question aussitôt qu'elle eut surgi dans son esprit.

« Aimerais-tu voir mon vrai visage ? demanda le millionnaire.

— Oui.

— Lorsque tu auras vu mon vrai visage, tu auras aussi vu le tien. Car tous les hommes sont identiques : tous les hommes sont Dieu.

« Tant qu'ils l'ignorent, la haine subsiste dans leur cœur. Dès qu'ils le réalisent naît dans leur cœur l'Amour Véritable : pour eux le voyage sur terre a pris fin. C'est

la véritable richesse, c'est le véritable état de millionnaire. En vérité, je te le dis, tout le reste n'est rien : ceux
qui s'en contentent demeurent toute leur vie des
mendiants malgré leur compte en banque et leurs belles
demeures. Pour celui qui a réalisé l'Amour Véritable, la
richesse ne se compte plus en millions : elle dépasse
l'infini. Débarrassé de son petit moi qui l'empêchait
mystérieusement d'être lui-même, l'homme devient
tout : l'homme devient Dieu. Pour l'homme ordinaire,
cette pensée paraît un blasphème, un délire d'orgueil.
Pour l'homme spirituel, ce sont les illusions ordinaires
de l'homme qui sont de l'orgueil, qui sont un sacrilège :
car l'homme ordinaire blasphème sa véritable nature. Je
t'ai parlé de l'importance des mots : voici à leur sujet
mon ultime conseil. Je te le donne en rêve pour que ce
soit un test à l'image même de la vie. Comme l'âme qui
revient sur terre, souviens-toi, une fois réveillé, de ce
que je te dirai en cette nuit magique, souviens-toi de ta
nature véritable. Chaque matin, chaque soir, allonge-toi,
et répète cent fois à haute voix cette grande formule
magique et belle : "Apaise-toi et sache, je suis Dieu."»

Sans qu'il sût trop pourquoi, des larmes mouillaient
les joues du jeune homme, puis se transformaient en
minuscules miches de pain que des oiseaux surgis de
nulle part venaient cueillir au vol. Le millionnaire poursuivit :

«Souhaiter la richesse est bien. C'est bon que tu aies
cette ambition : ce serait néfaste de la nier. Vis tes rêves.
En cours de route, tu apprendras beaucoup de choses
sur les hommes et sur toi-même. Tu tremperas ton âme.
En difficulté, tu pourras sonder la puissance de ta foi et
l'authenticité de ton ambition. Mais sache que devenir

riche n'est pas l'ultime but, que ce peut même être un piège terrible si tu perds de vue l'importance de l'essentiel, si tu confonds la fin et les moyens. Être riche est d'ailleurs souvent une épreuve plus qu'une bénédiction, et apporte un lot d'obligations et d'épreuves dont la personne pauvre n'a pas idée. Beaucoup de gens riches ne s'en sortent pas indemnes. Mais la pauvreté elle aussi brise bien des gens. Alors persévère dans ton ambition : elle fait partie de toi, elle est toi. »

Ces paroles rassurèrent le jeune homme : ses ambitions de richesse lui donnaient parfois mauvaise conscience. Le millionnaire continua bientôt cet étrange monologue de rêve :

« Rappelle-toi cependant que, de même qu'il y a une hiérarchie des êtres, il y a une hiérarchie des désirs. Le désir de bonheur occupe un échelon plus élevé que le désir de richesse : on souhaite être riche pour être heureux. Une fois que tu auras épuisé tous les désirs, que tu les auras tous eus et tous réalisés, tu comprendras que l'ultime, le plus noble projet, le seul important, auquel à notre insu tous les autres conduisent, c'est de te connaître toi-même, c'est-à-dire de connaître Dieu, qui est ta véritable nature. Pourquoi perdre son temps par des chemins de traverse ? Pourquoi ne pas prendre un raccourci ?

— Je vais tout faire pour me rappeler ce que vous venez de dire.

— Répète constamment : "Apaise-toi et sache, je suis Dieu."

— Apaise-toi et sache, je suis Dieu, répéta le jeune homme. Je vais m'en souvenir, je vais m'en souvenir, je vous le promets. »

Mais aussitôt il se rendit compte que cette promesse de rêve ne serait pas aussi facile à tenir. En effet, il venait à peine de la formuler qu'il en oublia la teneur !

Il ne s'en formalisa pas trop.

Le millionnaire lui tendait la main droite, ouverte :

«Tiens, dit-il, pour que tu gardes cette nuit en mémoire : voici un rubis, rouge symbole de la richesse du cœur.»

Le jeune homme crut à une nouvelle mystification du millionnaire. Il ne voyait pas un rubis mais un vulgaire cailloux noir !

«Je suis désolé mais... je ne vois là qu'un caillou...

— Si tu crois que ce caillou est un rubis, si tu y crois vraiment, il se transformera aussitôt en rubis. Dans le monde de l'esprit, les choses ne se passent pas comme dans le monde ordinaire. Foi fait loi, si je puis dire. La foi n'est pas seulement la constatation de l'existence d'une chose, elle est créatrice. Concentre-toi. Allez.»

Malgré sa logique, ce discours un peu trop complexe ne pouvait être digéré par l'esprit d'un rêveur, aussi philosophe fût-il. Pourtant, malgré son incrédulité, le jeune homme se soumit à l'exercice : il se concentra de son mieux.

Mais la pierre restait une pierre.

«Allez, le pressa le millionnaire, fais un effort. Il faut que tu croies. Si la foi peut soulever une montagne, ne penses-tu pas qu'elle puisse transformer une vulgaire pierre en rubis ?

— Je me concentre, je me concentre...»

Les gouttes de sang cette fois-ci coulaient d'abondance de son front : on aurait dit que le jeune homme portait une couronne d'épines !

«Allez, allez!»

Le jeune homme redoubla d'efforts : il n'obtenait aucun résultat. Une gêne le gagna. Il ne désespéra pas. Il fallait croire.

Croire que croire était la clé, d'abord.

Puis croire avec plus d'intensité, de force, de volonté.

Alors un phénomène mystérieux se produisit dans son rêve déjà mystérieux. Le miracle eut lieu : le vulgaire caillou devint une pierre magnifique!

Le jeune homme était éberlué.

Il était ému.

C'était comme assister à la naissance de son propre esprit : de lui-même en somme. Il comprenait qu'il venait d'être témoin de la manifestation d'une grande loi.

«C'est beau», remarqua le millionnaire.

Il avait toujours vu un rubis là où le jeune homme ne voyait qu'une pierre, mais maintenant il voyait que le jeune homme voyait lui aussi.

«Tu l'as créée, elle est à toi», dit le vieil homme.

Enchanté, le jeune homme prit la pierre enfin devenue précieuse et la rangea dans la poche de sa veste.

Le rêve se prolongeait. Une question hantait le jeune homme :

«Qui êtes-vous vraiment?»

Pour toute réponse, le millionnaire inclina doucement la tête en signe d'approbation. Il prit le jeune homme par les épaules et l'écarta délicatement du miroir devant lequel il se plaça lui-même. Le jeune homme connut un premier étonnement, une première déception : nul reflet du millionnaire dans la glace. N'était-ce pas pour cette raison qu'il était insaisissable? Il eut même cette pensée absurde, effarante : le millionnaire était un vampire dont l'image, comme chacun sait, ne se reflète pas dans une glace. Mais c'était impossible. Le millionnaire était tout sauf un être maléfique : au lieu de se nourrir du sang de ses proches, il les nourrissait du vin de sa sagesse. Le vieil homme se tourna vers lui et demanda :

« Es-tu satisfait, maintenant ?

— Non, je ne vois rien.

— Hum, marmonna longuement le millionnaire avec une satisfaction étonnante. Rien, rien que le vide. Le vide sublime de l'absolu... Attends, je vais m'ajuster un peu. »

Dans un geste curieux, il s'empara de la pointe de son nez et la fit tourner comme s'il s'agissait d'un commutateur. Une image apparut dans le miroir, celle d'un enfant de douze ans dont les blonds cheveux étaient coiffés très bizarrement : ils s'élevaient de chaque côté de sa tête en deux cornes pointues et droites. Vêtu d'un uniforme mauve bien ajusté dont les boutons dorés semblaient autant de soleils miniatures, le sourire aux lèvres, les yeux fermés dans une sorte de recueillement profond, il dansait, pieds nus, sur un tapis de nuage et de ciel. De la musique de timbales, de clochettes et de flûte émanait mystérieusement de lui. Une joie extraordinaire se dégageait de tout son être.

La musique cessa. L'enfant s'immobilisa, ouvrit les yeux, s'inclina respectueusement puis dit au jeune homme :

« Je te souhaite une très bonne journée. »

Ces mots d'une banalité extrême causèrent une grande émotion chez le jeune homme : il lui semblait en effet que jamais personne ne lui avait souhaité une bonne journée avec autant de sincérité. Ce n'était pas une vide formule : ces paroles venaient du cœur même de l'enfant.

« Si tu veux, dit l'enfant, je vais te montrer qui je suis vraiment, qui tu es vraiment. »

Il se mit à déboutonner son uniforme et alors, au lieu que sa chair apparaisse, ce fut une lumière plus vive que l'éclat de mille soleils qui sortit de tout son être : sa forme se confondit bientôt dans cet éblouissement. Le jeune homme ressentit une grande chaleur dans tout son corps. Il se tourna vers le millionnaire. Ce dernier n'était plus derrière lui : il avait disparu.

Le jeune homme se réveilla en sursaut dans le grand lit à baldaquin que le millionnaire avait mis à sa disposition la veille. Son corps était mouillé de sueur, son cœur palpitait. Il se rappela qu'il avait fait un rêve, mais ne se rappela pas ce qu'il avait rêvé au juste. Il savait seulement qu'il était question de miroir et de pierre précieuse. Il était agité.

Il ne se souvenait plus de son rêve. Il se souvenait seulement qu'il avait fait un rêve. Mais rêvait-il encore ? Il était confus.

Un gargouillement dans son ventre lui confirma deux choses : il était vraiment réveillé et il avait faim.

Il descendit en hâte à la salle à manger.

9

Où le jeune homme découvre la Règle d'or

Il y trouva le millionnaire déjà attablé. Fort élégamment cravaté, il portait un beau costume sombre. Il ne mangeait pas, même si devant lui une pleine corbeille de croissants répandait son bon parfum matinal. Il faisait sauter une pièce de monnaie qui retombait dans la paume de sa main. Il compta :

« Sept. »

Un nouveau coup de pouce, les yeux fixés sur la pièce qui retombait dans sa paume :

« Huit. »

Puis à nouveau, la pièce tournoyante dans les airs, mais un murmure de déception lorsqu'elle s'immobilisa au creux de sa main :

« Zut ! Pile ! »

Il releva la tête, aperçut alors le jeune homme :

« Je ne me rends jamais à dix "face" d'affilée ! »

Alors le jeune homme se rendit compte que, la veille, lorsqu'il avait parié contre le millionnaire, il n'avait eu aucune chance. Il s'était fait tout bonnement rouler. Il prit la pièce dans la main du vieil homme : il la soupçonnait d'être truquée. Il la fit rouler à plusieurs reprises : Pile. Face. Face. Pile.

Il fit une moue.

Non, simplement, le millionnaire était habile de ses mains. En toute honnêteté, il ne pouvait le lui reprocher.

Seulement, il se jura qu'on ne l'y reprendrait plus. Il avait eu sa leçon.

«Mais assieds-toi», dit le millionnaire.

Le jeune homme ne se fit pas prier.

«Tu es tout pâle. As-tu fait des cauchemars?

— Oui, j'ai rêvé, je crois, mais j'ai oublié mon rêve.

— Dans la vie aussi on oublie son rêve, laissa tomber le millionnaire. Un peu de café?»

Il s'était emparé d'une élégante cafetière d'argent et la penchait au-dessus de la tasse du jeune homme, une belle tasse en porcelaine. Un petit enfant comme celui du rêve y dansait avec sa redingote mauve à boutons dorés et ses étranges cheveux qui ressemblaient à des cornes. En apercevant sa riante figure, le jeune homme éprouva un malaise, un sentiment de déjà-vu. Cette espèce de lutin bizarrement coiffé lui était familier. Mais où l'avait-il aperçu auparavant? Il n'aurait su le dire. Il passa une main découragée sur son front, comme pour dissiper son trouble.

Le millionnaire avait empli la tasse de son invité et se servait également de café. Le jeune homme but une longue gorgée pour se réveiller. Puis il mordit à belles dents dans un croissant encore tiède.

Décidément, cette vie lui plaisait! Il s'y habituait en tout cas très facilement. Il se demandait seulement si le retour à la réalité ne serait pas trop brutal, s'il pourrait mettre en application les merveilleux principes du vieil homme. Car c'est toujours le problème avec les principes : ils se heurtent à la réalité ou on les oublie.

«Vous ne vous occupez pas de vos roses aujourd'hui?» demanda le jeune homme, car le millionnaire ne portait ni la salopette ni le chapeau de paille de la veille.

D'ailleurs cela lui faisait un peu drôle de le voir dans la tenue pourtant banale d'un homme d'affaires.

« Euh, non...

— Vous avez sans doute un rendez-vous important...

— Si on veut, si on veut », dit un peu énigmatiquement le millionnaire.

Le jeune homme, affamé, avala presque le reste de son croissant. Le millionnaire se réjouissait de son bel appétit comme s'il avait été son fils. Il lui indiqua la corbeille, le pria de se resservir de croissant : le jeune homme ne refusa pas. Il badigeonna son second croissant d'une fine confiture de framboises, prit une bouchée, puis dit :

« Hier... »

Il eut une hésitation au sujet du temps, et pourtant il avait fait la connaissance du millionnaire la veille. À moins qu'il n'eût rêvé à cette conversation...

« Hier, reprit-il, vous m'avez demandé ce que j'attendais pour quitter un travail que je n'aimais pas. Je vous ai répondu que je ne savais pas. En fait, je sais...

— De quoi s'agit-il ?

— Eh bien, voilà : vous m'avez fait comprendre que les circonstances extérieures n'étaient pas vraiment importantes, que ce qui comptait, c'était le caractère, la foi d'un homme. Mais il reste que je me vois mal tout quitter du jour au lendemain. Je n'ai pas un sou qui vaille. Je vous ai même signé un chèque de dix mille dollars. J'ai un appartement à payer, il faut que je mange, et si je veux m'acheter ces vêtements qui m'aideront à réussir, je... Enfin... »

Le millionnaire marmonna quelque chose, balança la tête :

« Fais comme ont fait la plupart des gens riches à leurs débuts.

— Je... je ne vois pas où vous voulez en venir.

— Fais de l'argent avec l'argent des autres : emprunte ! C'est la plus vieille et la plus simple manière de démarrer. Moi, c'est ainsi que j'ai fait mes débuts et je m'en félicite.

— Mais à qui emprunter ? Mon oncle est la seule personne riche que je connaisse et il a refusé de me prêter de l'argent.

— Et moi, tu ne me connais pas ?

— Je... ce que vous m'avez donné est déjà immense, tout cet enseignement, je ne voudrais pas abuser... »

Le millionnaire le regarda sans parler : il semblait le sonder. Enfin, résolu, il prit son argent de poche et le posa sur la table devant le jeune homme. Vingt-cinq mille dollars en coupures de mille ! Toute une somme ! Le cœur du jeune homme se mit à battre plus rapidement. Il écarquilla malgré lui les yeux. Mais un élan de méfiance se fit jour en lui :

« Vous n'allez pas me proposer un autre pari ? s'empressa-t-il de dire.

— Non, je vais parier sur toi.

— Vous me prêtez cet argent ?

— Non. »

Le jeune homme ne comprit pas : le vieil homme jouait-il de nouveau au chat et à la souris avec lui ?

« Je ne te prête pas cet argent, je te le donne.

— Vous me donnez vingt-cinq mille dollars ?

— Oui », confirma le millionnaire en poussant la liasse de billets vers le jeune homme qui, dans un réflexe, ne put s'empêcher de s'en emparer.

Il déploya la liasse, pour contempler plus à son aise les billets, peut-être aussi pour en vérifier le nombre. Il fit un compte rapide et approximatif : il semblait effectivement y avoir vingt-cinq mille dollars. Il n'avait jamais tenu pareille somme dans ses mains ! Et le plus beau de l'affaire, c'est que cet argent lui appartenait. Alors surgit dans son esprit cette pensée qu'il avait eue la veille en bavardant avec le millionnaire : c'était trop beau pour être vrai !

« Cet argent, je te le donne à une condition, c'est que tu me fasses une promesse.

— Une promesse ? » répéta avec une certaine inquiétude le jeune homme.

Ainsi donc il ne s'était pas trompé. Il y avait une attrape. Il blêmit : perdre ces vingt-cinq mille dollars lui serait insupportable. Il s'était tout de suite habitué à l'idée de les posséder.

« Oui, reprit le millionnaire. Je veux que tu me promettes que dès que tu auras réussi à faire ton premier million, tu donneras à ton tour sa chance à un jeune comme toi en lui remettant ces vingt-cinq mille dollars.

— Et si... si jamais j'échouais ?

— Ne recommence pas à te jeter des sorts ridicules ! fulmina le millionnaire, qui élevait rarement la voix, ce qui eut la vertu d'impressionner vivement le jeune homme. Aujourd'hui tout le monde surveille son alimentation ; mais les gens devraient aussi surveiller ce qui sort de leur bouche. Alors reprends-toi... Tu disais ?

— Euh... lorsque j'aurai réussi à gagner mon premier million...

— Ah ! je préfère... Maintenant tu es toi-même, je te reconnais...

— Lorsque j'aurai réussi à gagner mon premier million, dit le jeune homme qui se rendait compte des vertus merveilleuses de la répétition : à la deuxième énonciation, il y croyait déjà un peu plus, comment saurai-je à qui donner les vingt-cinq mille dollars?

— Lorsque tu rencontreras celui à qui tu dois les donner, tu le reconnaîtras. »

Le vieil homme détourna légèrement la tête et son regard se voila :

« Je le vois déjà, ajouta-t-il, il te ressemble un peu. »

Cette étonnante prédiction troubla le jeune homme. Elle était double en effet : si le vieux jardinier voyait l'étranger à qui le jeune homme remettrait les vingt-cinq mille dollars, c'est qu'assurément ce dernier aurait fait fortune! Il s'en réjouit. Maintenant, c'était presque devenu une chose assurée dans son esprit.

« Lorsque tu lui remettras ces vingt-cinq mille dollars, tu lui demanderas à ton tour, comme je viens de le faire, de donner ces vingt-cinq mille dollars à un autre jeune, ou à une jeune femme d'ailleurs... Ainsi, la chaîne d'or dont je t'ai déjà parlé se perpétuera dans le temps.

— Mais je... je ne m'objecte pas du tout à ce geste, ce serait absurde de ma part puisque je bénéficie de votre générosité, mais par simple curiosité, pourquoi ne pas garder votre argent? Vous ne craignez pas d'être accusé de faire étalage de votre richesse?

— Je me moque de ce que peuvent penser les gens, du moins lorsqu'ils souffrent d'étroitesse d'esprit. De toute manière, si je me préoccupais constamment de l'opinion des autres, je ne ferais plus rien. Et je deviendrais fou : au restaurant, si je donne un pourboire généreux, on m'accuse de vouloir impressionner la galerie, et si je donne le pourboire normal, on me reproche d'être radin. Lorsque tu seras devenu riche, et même avant, en cours de route, élève-toi au-dessus de cette médiocre médisance. Trouve en toi-même, et seulement en toi-même, la justification de tous tes actes. Suis les grandes lois de l'esprit.

— Mais si je ne les connais pas...

— Je t'en ai énuméré déjà quelques-unes, passe-les en revue. Et si tu es dans le doute, tu peux toujours te référer à la grande Règle d'or.

— La Règle d'or?

— Oui. Ne fais pas aux autres ce que tu ne voudrais pas qu'on te fasse. Par exemple, si tu ne veux pas que ta mère ou tes enfants consomment un produit que tu vends, ne vends pas ce produit. Trouves-en un autre, dont tu sois fier et que tu seras content de voir utilisé par ta famille. La personne que tu rencontres, client, associé, patron, agis avec elle comme si elle était ton frère, ton enfant, ton père. Mieux encore, vois Dieu en chaque personne.»

Le jeune homme était touché. Presque malgré lui, il se livra à un rapide examen de conscience. Il pensa que bien souvent, à l'agence de publicité, il avait vanté les mérites de produits auxquels il ne croyait pas. Il n'avait pas respecté la grande Règle d'or. N'était-ce pas pour cela qu'il n'avait pas réussi et qu'il se sentait insatisfait de lui-même? Le vieil homme avait repris son discours:

«Au lieu de te contenter de l'aspect négatif de la grande Règle d'or, appliques-en l'aspect positif. Fais aux autres ce que tu voudrais qu'on te fasse. Fais-le dans un esprit de pure générosité, sans attente. Alors ton cœur sera grand et lumineux et ta vie sera un enchantement constant : ce que tu donneras de ta main droite, ta main gauche en recueillera le fruit au centuple. Sois généreux, tu ne le regretteras jamais. Mais ne sois pas généreux seulement de ton argent, c'est parfois une manière de se débarrasser des gens. Sois généreux aussi de ton temps, de ton amitié, de ton support moral, car la plus grande pauvreté du monde n'est pas matérielle : elle est morale. Lorsque quelqu'un te demande ton aide, écoute-le, sois disponible, et tu te rendras compte qu'en l'aidant, souvent tu te seras aidé toi-même.

— Je vais m'y efforcer...

— Ce n'est pas chose facile, c'est même le programme de toute une vie. Mais persévère, le jeu en vaut la chandelle.

— Je le crois... »

Une pause, puis le millionnaire reprit :

« Maintenant, je crois que tu peux comprendre mieux pourquoi je t'ai donné ces vingt-cinq mille dollars...

— Je comprends que vous les ayez donnés, mais pourquoi à moi en particulier ? »

Le millionnaire ne répondit pas tout de suite. Il regarda le jeune homme avec beaucoup d'affection. Avec nostalgie, il avoua :

« Peut-être parce que tu me fais penser au fils que je n'ai jamais eu... »

Une grande émotion submergea à nouveau le jeune homme.

Il sentait les larmes lui monter aux yeux, mais le millionnaire interrompit involontairement cette démonstration en disant :

« En te donnant cet argent, j'ai aussi respecté une des grandes lois de l'évolution. Lorsqu'un homme s'est élevé d'une marche dans l'escalier infini de l'évolution, il doit aider un de ses frères à monter sur cette marche avant de s'élever sur la marche suivante... Mais viens, dit-il, je n'ai plus beaucoup de temps devant moi. Allons au jardin, je voudrais te montrer quelque chose avant de partir pour mon rendez-vous... »

10

Où le jeune homme découvre un secret très ancien

En traversant les magnifiques pièces de sa demeure pour se rendre au jardin, le millionnaire, décidément en verve ce jour-là, continuait de discourir :

« Ces vingt-cinq mille dollars t'ont sans doute paru faciles à obtenir ?

— En effet.

— À la vérité, il n'y a aucune raison pour qu'il n'en soit pas toujours ainsi. C'est une erreur de croire qu'il est difficile de gagner beaucoup d'argent. Les gens pensent qu'il faut travailler fort pour faire fortune. En réalité, le travail a pour but d'élever l'esprit. Une fois que l'esprit est ferme et concentré, une fois qu'il a acquis sa puissance, alors tout vient facilement. Lorsque tu gagneras beaucoup d'argent, tu te rendras compte que ce qui aura été le plus déterminant, c'est ton état d'esprit.

— Mais comment obtenir cet état d'esprit ? interrogea le jeune homme, dont la curiosité était évidemment piquée.

— Répète soir et matin les formules magiques que je t'ai données, de manière à mettre à ton service ton puissant génie intérieur. Que tu y croies ou non, fais-en l'essai au moins quelques jours. Tu seras étonné des miracles que cela produira dans ta vie. »

Ils arrivèrent bientôt au jardin. Dans une des allées, le millionnaire s'arrêta devant un rosier dont les fleurs étaient particulièrement magnifiques. Il se pencha vers l'une d'elles, la huma avec recueillement, puis se releva et, tout en continuant à la contempler, il dit :

« Apprends à vivre dans le présent. Alors tu pourras apprécier la véritable beauté des roses. Alors tu acquerras cet état d'esprit dans lequel la richesse afflue vers toi.

— Comment arriver à vivre dans le présent ? interrogea le jeune homme. Mon esprit est continuellement agité : je pense aux choses qui me sont arrivées dans le passé et je me préoccupe de mon avenir...

— Élève tout simplement ton degré de concentration. C'est d'ailleurs une des manières de s'enrichir plus rapidement. La personnalité de la plupart des millionnaires est différente, mais ils ont tous ceci en commun : qu'ils soient des sportifs, des artistes, des hommes d'affaires, tous ceux qui réussissent possèdent une concentration supérieure. Imite-les. Deviens un homme concentré. Tu accompliras en une heure ce qui demande une journée de travail à un autre. Tu en tireras bien d'autres bénéfices encore, ceux-là plus subtils. Développant une acuité psychologique nouvelle, tu pourras voir du premier coup d'œil qui sont les gens que tu rencontres. Tu pourras également mieux savoir qui tu es, où tu te trouves dans ta vie et ce que tu dois faire pour évoluer plus rapidement. Tu connaîtras ce que j'appelle le sentiment de la destinée. Pensant à toi, te regardant dans un miroir, tu te diras : "Voilà qui je suis. J'en suis là dans ma vie, dans mon évolution. Voilà mes circonstances." Tu comprendras qu'elles sont parfaites et, en même temps, tu sauras dans quelle direction tu dois te mettre en marche pour avancer vers une perfection plus grande. Tu seras tout à coup différent des autres : la vie est un rosier dont les autres ne voient que les douloureuses épines. Tous les jours, toi, tu verras les roses. L'esprit élevé, tu verras, au-dessus des nuages, le bleu constant du ciel. Tes problèmes perdront leur réalité, s'effaceront comme des ombres chassées par le soleil de ta concentration : ils n'avaient pour toute importance que celle que ton esprit alors obscur leur accordait. Intérieurement, tu souriras : tu sauras que tu ne tomberas plus dans le piège. Alors, je te le demande du fond du cœur, c'est ma prière : mets fin à ce long sommeil dans lequel tu croupis depuis des années. Concentre-toi ! Éveille-toi !

— Je ne demande pas mieux. Mais comment m'y prendre ?

— Tu peux te concentrer partout ! Dans un jardin, concentre-toi sur le cœur d'une rose ! Dans l'autobus, sur la tache d'un banc devant toi ! Au travail, sur le timbre d'une enveloppe ! À la maison, sur un point noir dessiné au mur ! Partout ! Concentre-toi pendant une vingtaine de minutes par jour. Davantage, si tu le peux. Les bénéfices seront innombrables. Dès le premier jour, ta vie en sera transformée. Tout te semblera plus facile : tout te paraîtra un jeu. Alors le détachement naîtra en toi : et, du même coup, tu comprendras qu'en lui se trouve le bien suprême. Devenir riche est bien, mais si tu es esclave de ta richesse, si ta richesse est une occasion de soucis et de craintes, tu ne seras pas plus riche qu'aujourd'hui. Tu seras plus pauvre, même : celui seul qui part les mains libres pourra cultiver les roses éternelles. Atteindre cette liberté fut le but secret de ma vie. Au fond, l'argent ne m'a jamais vraiment intéressé : par la fortune colossale que j'ai amassée, j'ai simplement voulu démontrer aux hommes de peu de foi la toute-puissance de l'esprit. Les autres ont vu en moi un homme d'affaires prospère : je n'ai été qu'un modeste jardinier.»

Le millionnaire s'approcha alors du jeune homme, posa son index entre ses deux yeux :

«Si tu veux en savoir plus long sur toi, si tu veux découvrir le sens de ta vie, ne perds pas de temps en gestes et en paroles vaines, concentre-toi ici, dans l'espace entre les yeux. Tu découvriras qui tu es vraiment : la vérité te rendra libre.»

Le millionnaire appuya encore un peu sur le front du jeune homme, puis il retira son mystérieux index et donna à son visiteur une petite tape amicale sur la joue, ébouriffa même de manière taquine ses cheveux. Et il le regarda affectueusement.

Alors le jeune homme comprit que le vieil homme l'aimait vraiment.

Comme un père devrait aimer son fils.

Ému, le jeune homme se taisait : il méditait les paroles du vieil homme. Jamais il n'avait entendu pareil discours.

«Viens, dit le millionnaire, je vais maintenant te montrer la deuxième manière d'élever ton esprit pour atteindre cet état dans lequel la fortune afflue miraculeusement.»

Et le jardinier, d'autant plus excentrique dans cette splendide roseraie qu'il portait un costume et une cravate, entraîna le jeune homme vers une autre partie du jardin où se trouvait un charmant petit étang. De grands nénuphars jaunes y poussaient, entre lesquels un couple de cygnes blancs nageait avec une élégance tout aristocratique.

Au bord de l'eau se trouvaient deux cuvettes sombres montées sur des tiges de métal. Au pied d'une des cuvettes était posé un grand seau, au pied de l'autre, un petit gobelet.

«Je vais te proposer un pari, parce qu'il faut que je me refasse un peu : après tout, je viens de perdre vingt-cinq mille dollars, plaisanta le millionnaire.

— Nous ne tirerons pas à pile ou face, j'espère?

— Non, non», dit en riant de bon cœur le millionnaire.

Le jeune homme se rassura, et pourtant il ne pouvait s'empêcher de penser : tiens, le voilà qui recommence à parier! Toutefois, il ne pouvait décemment refuser le pari : le millionnaire venait de lui donner vingt-cinq mille dollars! Restait à voir s'il lui proposerait de miser dix ou, pire encore, vingt-cinq mille dollars, auquel cas il risquait de tout perdre et de retomber à zéro : l'histoire de sa vie qui se répétait!

«Pas de problème! dit-il avec un enthousiasme un peu feint.

— Alors, je te parie mille dollars...

— Mille dollars... Euh...» hésita le jeune homme.

Mais il réfléchit : de même qu'il faut vivre en Romain chez les Romains, il faut parier en millionnaire avec un millionnaire.

«Ça me convient, dit-il enfin.

— Voici en quoi ça consiste. Je prends ce gobelet, tu prends ce seau. Le premier qui remplit la cuvette jusqu'à cette marque gagne», expliqua-t-il au jeune homme, qui s'était lui aussi approché et se penchait au-dessus de la cuvette.

Le jeune homme fronça les sourcils. Il ne comprenait pas :

«Mais... vous êtes certain de perdre. Votre gobelet est minuscule en comparaison de mon seau...»

Il regarda avec suspicion son seau :

«À moins qu'il ne soit percé...

— Non, il ne l'est pas, dit le millionnaire qui souriait de la perspicacité de son jeune élève, mais la cuvette l'est. Regarde.»

Le jeune homme examina la cuvette : elle était criblée d'innombrables petits trous. Son front se plissa. Il soupesait ses chances. Les trous étaient nombreux, mais ils étaient minuscules, et son seau était immense. S'il travaillait vite, il atteindrait la moitié de la cuve avant le millionnaire.

«J'accepte, dit-il enfin.

— Très bien, très bien», dit le millionnaire.

Il se pencha, prit le gobelet pendant que le jeune homme ramassait le seau. Le millionnaire regarda son jeune élève avec un sourire et donna le signal. Aussitôt le jeune homme s'activa, plongea le seau dans l'eau de l'étang, la déversa dans la cuvette. Il eut une première surprise, plutôt désagréable.

Les trous de la cuvette, quoique minuscules, étaient si nombreux que l'eau en jaillissait à une vitesse phénoménale. Le jeune homme fit une moue. Il comprenait que le millionnaire, en fin renard, n'en était pas à sa première expérience avec ces cuvettes : telle était l'explication de ce pari en apparence si audacieux.

Pourtant, le jeune homme ne se découragea pas. Son honneur était en jeu, et mille dollars, ce qui était tout de même une somme ! Et puis, au fond, il n'avait qu'à remplir à demi la cuvette. Il redoubla d'efforts.

Pendant ce temps, avec son gobelet, le millionnaire, sans vraiment se presser, emplissait sa cuvette. Fouetté par le calme de son rival, le jeune homme accéléra encore la cadence.

Dans sa cuvette percée, l'eau montait, certes, mais avec une lenteur désespérante : on aurait dit une véritable passoire ! Le temps de se pencher pour remplir son seau et de le verser dans la cuvette, l'eau s'était écoulée aux neuf dixièmes. À ce rythme, il finirait néanmoins par atteindre la marque, mais il lui faudrait bien quinze minutes, peut-être une demi-heure, sans compter que, s'il s'épuisait, il ne pourrait maintenir son rythme infernal.

Et puis, comme pour ajouter l'insulte à l'injure, il se faisait copieusement arroser par l'eau qui coulait des orifices ! En versant son vingtième seau, il se pencha au-dessus de la cuvette du millionnaire et vit que ce dernier avait presque atteint le milieu : s'il ne se pressait pas encore plus, il perdrait, car sa cuvette n'était remplie qu'au quart !

Il fit des pieds et des mains. Il déversait sans doute la trentième cuvette, et était tout essoufflé, lorsque le millionnaire, demeuré parfaitement calme, posa son gobelet :

« Terminé, proclama-t-il. Tu me dois mille dollars. »

Le jeune homme ne doutait pas de la parole du millionnaire, mais il eut l'instinct de se pencher au-dessus de sa cuvette : l'eau avait effectivement atteint la marque de la moitié. Il ne put retenir un soupir de déception. Il paya les mille dollars, non sans un pincement au cœur !

Le millionnaire les empocha avec autant de joie qu'un enfant à son premier gain.

«Au moins, dit-il, je ne me rendrai pas à mon rendez-vous sans un sou dans mes poches!»

Plaisantait-il? Se payait-il encore une fois la tête du jeune homme?

Ce dernier n'aurait su le dire. En outre il était tout trempé et, comme l'eau de l'étang était froide, il grelottait, d'autant que le temps, radieux le matin, s'était tout à coup rafraîchi. Le vent s'était levé et de gros nuages noirs roulaient dans le ciel, comme à l'approche d'un orage. Le jeune homme pensa que le retour ne serait pas très agréable : rien de plus détestable en effet que de porter des vêtements mouillés!

«Quelle leçon tires-tu de cette expérience? demanda le millionnaire.

— Qu'il vaut mieux y regarder de près avant de parier contre vous!

— Il faut toujours y regarder de près, approuva le millionnaire. Mais ce que j'ai surtout voulu te montrer, c'est que l'homme ordinaire ressemble à cette cuvette percée. Malgré tous ses efforts, même les plus louables, il n'arrive à rien et à la fin de sa journée, à la fin de sa vie, il se sent vide et usé. Car pendant toute son existence, l'homme ordinaire se disperse. Rien de grand, rien de noble ne s'accomplit sans une accumulation d'énergie. De même que j'ai pu emplir ma cuvette avec le simple secours d'un minuscule gobelet, de même l'homme concentré peut accomplir des merveilles même si ses moyens semblent au départ limités. Car il sait accumuler en lui l'énergie qui lui permet d'atteindre l'état d'esprit magique. Imite cet homme à la sagesse mystérieuse.

Deviens le magicien qui sommeille en toi depuis toujours. Referme pour un temps les portes de ton être.

— Les portes de mon être?

— Oui, les portes par lesquelles l'énergie sort de toi et entre en toi tous les jours. Pense d'abord à la porte de ta bouche. Souviens-toi de la parole du maître des maîtres. L'homme se fait plus de tort par ce qui sort de sa bouche que par ce qui y entre. Deviens avare de tes paroles. Apprends à cultiver les vertus du silence. Car le bavardage est un trou dans la coupe de ton âme. Parlant peu, tu céderas moins à la médisance, cette véritable plaie d'Égypte de l'esprit.

— Je vais m'y efforcer.

— Fermant la porte de ta bouche, cultive aussi le silence intérieur. Fais taire en toi les pensées vaines, car elles sont autant de trous dans la coupe de ton âme.

— Les pensée vaines?

— Oui. Innombrables, elles sont de véritables parasites, elles sont une hydre à mille têtes qui dévorent à ton insu ce qui devrait nourrir ton obsession magnifique. Elles se présentent à toi comme des évidences, et pourtant elles sont trompeuses : "Je ne réussirai pas." "Cet ami a plus de succès que moi : c'est injuste." "Dans la vie, il ne faut pas rêver en couleur!"

«Au contraire, décrète que tu réussiras : il te sera donné selon ta foi! Réjouis-toi du succès de ton ami : le succès deviendra ton ami! Rêve en couleur : ta vie cessera d'être terne!

«Travaillant sans relâche, mais dans la joie et la paix, ne te laisse pas ronger par les soucis. Rappelle-toi la sagesse des oiseaux qui ne sèment ni ne moissonnent et sont pourtant tous les jours nourris par quelque manne céleste. Ils savent cette vérité ancienne et toujours neuve : aucun souci, même grassement engraissé par des nuits d'insomnie, n'a jamais apporté de pain sur la table. Au lieu de te plaindre, cherche et trouve chaque jour ce que tu peux faire pour améliorer ton sort : et fais-le ! Mais ne fais pas plus : à chaque jour suffit sa peine ! »

Le millionnaire se tut. Il observa sans rien dire le ciel, qui s'obscurcissait davantage. Puis il se tourna vers son invité :

« Si tu le peux, si tu en as le courage, ferme encore une autre porte de ton être, la plus difficile, certes, mais qui fera de toi un véritable magicien. »

Le jeune homme écoutait avec une attention redoublée.

« Comme tout dans la nature se transforme, pour ouvrir la porte la plus haute, ferme pour un temps la porte d'en bas. Fais preuve de réserve amoureuse. Préserve ton essence intime : grâce à elle et à leur admirable persévérance, les alchimistes transmutaient le plomb en or. Deviens alchimiste à ton tour, et tes coffres s'empliront, car tu atteindras cet état d'esprit dans lequel l'or afflue en abondance ! Ce n'est pas chose facile, je le sais. Tout, autour de toi, est une invitation à la dispersion : nombreuses sont les sirènes qui t'appellent vers leur rivage. Nombreux sont ceux que tu crois tes amis et qui tout le jour distillent leur opium. Ta nature se révoltera : prouve ta volonté. Sois maître de toi-même. Je sais que ce discours n'est pas à la mode : mais le bonheur non plus n'est pas à la mode. Alors, pourquoi ne pas faire le pari ? Qu'as-tu à perdre ?

— Je ne sais pas si j'y arriverai... Pour un jeune homme vigoureux, ce doit être difficile à vivre, cette philosophie...

— Essaie au moins. Lorsque tu feras une chute – et tu en feras –, relève-toi! Chaque gain que tu réalises, aussi infime soit-il, renforce ton caractère. Rappelle-toi la noble vérité d'Héraclite : "Caractère égale destinée."

«Nourries par cette essence secrète, tes pensées auront des ailes. Tes désirs deviendront le dragon ailé des légendes : ils parcourront le monde à la vitesse de la lumière.

«Un soleil nouveau dissipera ta nuit, tu verras enfin clair dans ta vie.

«Révolue la confusion!

«Disparue l'indécision!

«Tu sauras enfin ce que tu dois faire de ton existence et comment t'y prendre. La fin et le moyen, qui jusque-là t'échappaient, se présenteront à toi comme d'inséparables jumeaux et te prendront par la main pour t'entraîner sur le chemin du succès : c'est un secret ancien et éternel. Ceux qui l'ont découvert étonnent le monde par leur génie : leur chance est légendaire.

«Persévère!

«Le jeu en vaut la chandelle : l'épine la plus dure garde la rose la plus belle!»

11

Où le jeune homme et le millionnaire se séparent

Le millionnaire se tut alors et regarda à nouveau le ciel qui s'était encore obscurci.

« L'orage est proche, dit-il, viens, rentrons. »

Il fit quelques pas puis s'immobilisa. Il fronça les sourcils : il venait d'apercevoir un rosier malade.

« Serais-tu assez gentil pour aller me chercher un sécateur dans la remise ? »

Le premier mouvement du jeune homme fut de protester intérieurement. Le soin de ce rosier malade ne pouvait-il attendre la fin de l'orage ? Mais le jeune homme se rappela l'excentricité du millionnaire – et sa passion des roses. Il se reprocha intérieurement son égoïsme : le millionnaire venait de lui donner vingt-cinq mille dollars et lui, il lui refusait un petit service sous prétexte que le temps était à l'orage alors que ses vêtements étaient déjà tout trempés !

« Bien sûr ! dit le jeune homme.

— Je te remercie de me rendre ce petit service, c'est vraiment gentil de ta part », dit le millionnaire avec ce qui parut au jeune homme une emphase un peu bizarre.

Le millionnaire le regardait avec une grande tendresse, légèrement teintée de tristesse. Le jeune homme tourna les talons et, tout en guettant le ciel de plus en plus noir, marcha d'un pas rapide vers la remise. Il éprouva de la difficulté à ouvrir la porte et crut un instant qu'elle avait été verrouillée pendant la nuit. Mais, enfin, elle céda.

Il choisit avec soin le sécateur : il se souvenait de son expérience de la veille. Outil en main, il quitta la remise, dont il dut se reprendre à deux fois pour refermer la porte : le vent soufflait trop fort. Ses vêtements encore tout mouillés, il frissonna. Il se pressa de retourner auprès du millionnaire.

Mais il éprouva une déception.

Et une surprise.

Le millionnaire avait quitté la roseraie.

Le jeune homme s'avança dans l'allée que balayait le vent, s'arrêta à l'endroit où il avait quitté le millionnaire, juste devant le rosier malade. Il ne vit pas davantage le vieil homme.

Où était-il passé ? Avait-il été effrayé par l'approche de la pluie ? Était-il allé enfiler un vêtement plus chaud ou quérir un parapluie ? Le jeune homme avait de plus en plus froid. Il se sentit ridicule, immobile dans la roseraie, le sécateur devenu inutile dans les mains.

Il allait rentrer dans la somptueuse demeure du millionnaire lorsqu'il aperçut, à ses pieds, une magnifique rose. Il ressentit un malaise, tel qu'on en ressent tout naturellement devant l'inconnu : malgré la puissance du vent, la rose demeurait parfaitement immobile, comme si une main invisible la retenait dans l'allée ! Il se dit qu'il n'en était pas à un étonnement près, que depuis qu'il avait rencontré le millionnaire, rien ne se passait tout à fait comme d'habitude. Il se pencha, ramassa la rose et l'admira quelques instants.

Mais une forte rafale de vent le tira de sa contemplation. Il jeta un regard circulaire dans la roseraie et, comme il ne voyait toujours pas le millionnaire, il résolut de rentrer avant que la pluie ne le surprît. Il se hâta jusqu'aux belles portes françaises qui donnaient sur la salle verte. Elle était déserte. Il ne s'y attarda pas et, ayant posé le sécateur sur une table, il gagna la salle à manger, persuadé d'y retrouver le millionnaire. Celui-ci n'y était pas davantage.

De fait, la maison était étrangement silencieuse, et tout ce qu'on y entendait était le vent dans les fenêtres. On aurait dit que quelque étrange fléau en avait chassé tous les occupants. Le jeune homme appela, un peu timidement :

« Allô ? Il y a quelqu'un ? »

Nulle réponse.

Il s'avança. Il aperçut alors, suspendus à un valet de nuit, une jolie veste, un pantalon, des souliers tout brillants.

Curieux, pensa-t-il. Le millionnaire se proposait peut-être de se changer avant de partir pour son important rendez-vous. Il sera parti en vitesse en laissant là ces vêtements. Mais pourquoi dans la salle à manger ?

Pourquoi pas, comme tout le monde, dans sa chambre à coucher ?

Décidément, l'homme ne semblait pas en être à une excentricité près.

Il vit alors, sur l'immense table de la salle à manger, une enveloppe qui portait la mention suivante : « À un jeune homme au brillant avenir... »

Il s'empara de la lettre. La tasse sur laquelle elle reposait était celle dans laquelle il avait bu son café matinal. En revoyant le petit enfant rieur et mystérieux qui, dans sa redingote mauve à boutons d'or, y dansait malicieusement, il pensa qu'il lui était vaguement familier. Mais, pas plus que le matin, il ne se rappelait où il l'avait vu.

Il ouvrit l'enveloppe qui, de toute évidence, lui était adressée. Il n'y avait que quelques mots, tracés à l'encre noire, dans une très belle écriture fort soignée :

« Bon voyage de retour. »

Et c'était signé : Le millionnaire.

Un post-scriptum complétait cette brève note :

« Les vêtements sont à toi. Mais soigne surtout ton image secrète. »

Le jeune homme sourit. Le millionnaire le surprendrait jusqu'à la fin. Il lui avait peut-être faussé compagnie, mais il l'avait fait avec une générosité peu commune. Comment le jeune homme pouvait-il décemment se plaindre ?

Il s'approcha des vêtements, les admira un instant et ne put résister à la tentation de palper la belle étoffe de la veste. Comme ses propres vêtements étaient encore tout trempés, qu'il ne semblait pas y avoir âme qui vive dans la maison, le jeune homme se changea tout de suite, abandonnant ses vieux vêtements sur le brillant plancher de la salle à manger. À sa surprise ravie, les vêtements lui allaient comme un gant : la veste, le pantalon, et même les souliers !

Le millionnaire avait réellement l'art de faire les choses !

Le jeune homme se contempla un instant dans la glace. Il se trouva bonne mine, même si la pluie et le vent l'avaient décoiffé. Il chercha son peigne dans sa vieille veste abandonnée sur le plancher et en profita pour y récupérer tout ce qu'il y avait laissé un peu inconsidérément dans l'excitation du moment, entre autres ses clés de voiture. Il avait beau n'avoir qu'une vieille Mustang rouillée, c'était après tout sa seule voiture, et il en avait besoin pour retourner chez lui. Il se rappela d'ailleurs qu'il avait laissé dans son pantalon mouillé son portefeuille qui contenait les vingt-quatre mille dollars! Avant de les ranger dans ses belles poches neuves, il s'attarda un instant à les admirer. Vingt-quatre mille dollars! Il n'y croyait pas encore complètement!

Il passa à nouveau devant le miroir, se coiffa, esquissa un sourire. Il se trouvait bien, en tout cas vraiment mieux qu'à son arrivée. Il se sentait transformé. Et ce n'était pas seulement parce qu'il était plus riche de vingt-quatre mille dollars. Il était aussi plus riche de la sagesse du vieil homme, qu'il aurait le temps de méditer et de mettre en application à son retour. Il était plus riche de la confiance nouvelle que le vieil homme lui avait insufflée et qui lui avait fait si cruellement défaut jusque-là.

Le temps de partir était venu.

Il contempla une dernière fois la vaste et luxueuse salle à manger, ses tableaux, son mobilier, ses bibelots. Il se rappela son premier repas avec le millionnaire. Il allait sortir de la salle à manger lorsqu'il aperçut la belle tasse avec l'enfant. Après une hésitation, il résolut de l'emporter avec lui. Ce n'était pas un véritable larcin. Il avait le sentiment que cette tasse lui appartenait. D'ailleurs, n'était-ce pas à dessein que le millionnaire avait appuyé contre elle la lettre? Ne voulait-il pas de toute évidence que le jeune homme l'emporte avec lui, comme un souvenir de cette rencontre extraordinaire?

La tasse glissée dans sa poche, le jeune homme sortit sans croiser un seul domestique. Avant de refermer derrière lui la porte de la somptueuse demeure, il admira encore une fois cette dernière, avec une certaine tristesse : peut-être n'y remettrait-il jamais les pieds...

Comme l'orage menaçait toujours, il marcha d'un pas rapide dans la belle allée qui conduisait à la grille. Lorsqu'il passa devant la guérite, il ne vit pas le gardien qui, à son arrivée, lui avait demandé la lettre de recommandation de son oncle. Il s'inquiéta : qui lui ouvrirait la grille?

Mais elle était déjà ouverte, comme si tout avait été préparé pour son départ.

Il franchit la grille, non sans jeter un ultime regard derrière lui, vers la magnifique demeure du millionnaire. Il s'avisa qu'il venait de vivre les deux jours les plus étonnants de sa vie.

Mais n'avait-il pas rêvé?

Il avait besoin d'une preuve. Son portefeuille apaisa son angoisse : les billets de mille dollars y étaient bien rangés, rassurants et beaux!

Il marcha vers sa vieille Mustang, qui n'avait pas bougé depuis la veille, preuve supplémentaire qu'il n'avait pas rêvé. Sur le pare-brise, une autre preuve, inutile celle-là, l'attendait : une contravention de soixante-dix dollars! Il eut un premier mouvement de colère. Mais il se ressaisit aussitôt : pourquoi se laisser troubler par cette insignifiante contravention alors qu'il venait de gagner vingt-quatre mille dollars en deux jours?

Il fouilla dans la poche de sa veste pour y prendre ses clés de voiture, mais sa main heurta un petit objet dur qui lui parut mystérieux. Il le tira de la poche.

C'était un vulgaire petit caillou noir.

Il trouva sa présence curieuse dans sa poche, d'autant que sa veste était neuve. Était-ce un nouveau tour qu'avait voulu lui jouer le millionnaire?

Il était intrigué.

Il fit sauter le caillou dans le creux de sa main tout en l'examinant.

Alors il se rappela son rêve.

Alors il se rappela qu'on pouvait transformer un vulgaire caillou en rubis.

Si on y croyait vraiment.

Et tout à coup il pensa à un conte merveilleux de son enfance, *le Petit Poucet*, qui semait derrière lui des cailloux pour retrouver son chemin.

N'était-ce pas pour cette raison que le millionnaire avait déposé ce caillou dans sa poche?

Pour lui permettre de retrouver son chemin?

Dans le grand voyage qu'il entreprendrait vers la richesse.

Dans le grand voyage qu'il entreprendrait vers lui-même.

L'orage éclata finalement, le tirant de sa rêverie.

Il se pressa de monter dans sa voiture, fit démarrer son moteur et, avant de se mettre en route, il regarda au loin, en direction de la ville.

Là-bas, l'orage s'était déjà dissipé.

Le ciel était bleu et or.

FIN

AGMV
MARQUIS
Québec, Canada
1998